Suhrkamp BasisBiographie 7 **Heinrich Heine**

Leben Werk Wirkung

Joseph Anton Kruse, 1944 in Dingden bei Bocholt (heute Hamminkeln) geboren, ist seit 1975 Direktor des Heinrich-Heine-Instituts in Düsseldorf; 1986 wurde er zum Honorarprofessor an der Heinrich-Heine-Universität Düsseldorf ernannt. Er gibt u. a. das *Heine-Jahrbuch* und die *Heine-Studien* heraus und hat zahlreiche Publikationen zu Heine und seiner Zeit sowie zu den Sammlungen des Heine-Instituts veröffentlicht.

Heinrich Heine

Suhrkamp BasisBiographie
von Joseph Anton Kruse

Suhrkamp BasisBiographie 7 Erste Auflage 2005 Originalausgabe

Druck: Clausen & Bosse, Leck · Printed in Germany
Umschlag: Hermann Michels und Regina Göllner
ISBN 3-518-18207-2
Die Schreibweise entspricht den Regeln der neuen Rechtschreibung, Zitate werden in ihrer ursprünglichen Rechtschreibung belassen.

1 2 3 4 5 6 – 10 09 08 07 06 05

Inhalt

Grenzgänger der Moderne

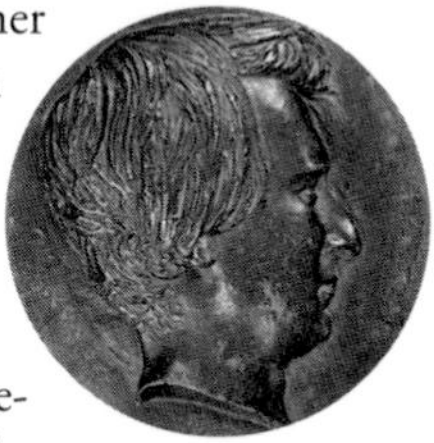

Gegen seinen Ruhm, den er auch gern als Popularität umschrieb, hatte Heinrich Heine gar nichts einzuwenden; mangelndes Selbstbewusstsein war trotz mancher Krisen seine Sache nicht. Schon sehr früh schien ihm klar, dass seine poetische Begabung dauerhafte und weltweite Anerkennung finden würde, selbst wenn der Weg dahin nicht unumstritten, ja gelegentlich mit Skandalen gepflastert war. Schwierigkeiten bereitete ihm vor allem die zwiespältige Wirkung beim deutschen Publikum, dessen Dichter und Schriftsteller er eigentlich immer sein wollte, weshalb er auch kein naturalisierter Franzose werden mochte. Die deutsche Sprache, das deutsche Vaterland mit seinen Geschichten und Träumen waren ihm das eigentliche Zuhause. Die Skepsis und Ablehnung bei Teilen der deutschen Kritik und Leserschaft, die immerhin mit manchen Auswirkungen der damaligen Zensur einhergingen, bildeten hier nur die eine Seite der Medaille, denn immer schon gab es auch die Enthusiasten und Bewunderer, die ihm nahe legten, nicht den Glauben daran zu verlieren, dass sein Name mit dem seines literarischen Kollegen Johann Wolfgang Goethe in Zukunft oft genug in einem Atemzug genannt würde.

Dabei war diese Überzeugung für ihn nicht ohne weiteres zu erringen. Die Französische Revolution von 1789 und die sich später anschließende Herrschaft Napoleons hatten zwar manche Dinge in Europa auf den Kopf gestellt, dennoch bedeutete das Auftreten eines jungen Romantikers aus jüdischer Familie eine Provokation für überlieferte Zuständigkeiten und eine Verletzung von Standesgrenzen. Heine, als Kind der Aufklärung, vermochte sich darüber hinwegzusetzen, Vorurteile zu überwinden und endlich auch viele Gegner von der Kraft seiner Poesie, der Individualität und Geschmeidigkeit seiner Sprache, dem Ernst seiner Absichten trotz, ja wegen des berühmten, wenn nicht gar berüchtigten Witzes und seines – nicht eben für alle öffentlichen Angelegenheiten als angemessen geltenden – Humors zu überzeugen. Die Reaktionen auf ihn und sein Werk sind bis heute gewissermaßen ein Indiz für

Einsichten in freiheitliche Prozesse und für humane Verhältnisse. Kaum ein Autor hat die Gemüter so bewegt und aufgeregt wie er.

Denn solche Schriftsteller wie ihn hatte es in Deutschland nicht alle Tage gegeben; die Einmaligkeit bedeutete jedoch Problem und Chance zugleich. Er musste sich seinen Platz in der Literatur mit Ausdauer und Strategie erobern, Bespitzelungen ebenso wie Rückschläge einstecken, dabei seinen Mut und die dazugehörige Ironie wie satirische Schärfe gleichwohl behalten. Das ist ihm in der Tat gelungen, auf bewundernswerte Weise sogar bis in die letzten Jahre seiner tödlichen Krankheit hinein, die er nicht umsonst als Matratzengruft bezeichnete. Zu diesem Zeitpunkt gehörte er schon der ganzen Welt, die ihm seinen besonderen, manchmal frechen, bisweilen sentimentalen und zugleich skeptischen Charme bis heute dankt. Gelernt haben die Nationalliteraturen neben dem lyrischen Klang von Natur und Liebe vor allem auch von seiner politischen Klarsicht und seinem sozialen Engagement, das sich in vielen Gedichten, vor allem jedoch in seiner Prosa ausdrückt.

Als Berichterstatter über alle Lebensbereiche und in seiner Arbeit als Korrespondent hat er eine Höhe erlangt, die ihn bis heute zum Vorbild jedes anspruchsvollen Feuilletons macht. Er ist nicht nur der Textdichter im Dienste Hunderter von Kompositionen für die Konzertsäle, sondern zur gleichen Zeit stets ein Verfechter der Menschenrechte. Seine Begabung und deren Anwendung kamen allerdings nicht von ungefähr. Er war der Erbe seiner Zeit und ihrer Bedingungen, vor allem aber vereinigte er die Voraussetzungen für jede Weise der Emanzipation in sich. Aus einer wohlhabenden jüdischen Familie stammend, die zahlreiche Verbindungen nicht nur innerhalb Deutschlands, sondern auch ins gesamte europäische Ausland hatte, erhielt Heine von Anfang an sowohl eine damals durchaus nicht selbstverständliche gesamtdeutsche Erbschaft mit auf den Weg als auch bereits eine gewisse Weltläufigkeit.

Der Wechsel von einer familiär naheliegenden Kaufmannskarriere zum Jurastudium ist die nächste Stufe in das Reich

Heinrich Heine. Bleistiftzeichnung eines unbekannten Künstlers, vermutlich um 1828 in München entstanden

des späteren schriftstellerischen wie intellektuellen Schaffens. Verschiedene Bedingungen ergänzen sich zur Notwendigkeit, freier Schriftsteller zu werden. Als solcher hat sich Heine in jedem Sinne verstanden und gerade deshalb auch die Gesellschaft wie selbstverständlich in die Pflicht nehmen wollen, für solche hauptamtlichen Vertreter ihres öffentlichen Gewissens verantwortlich zu sein und zu sorgen. Einen weiteren Schritt stellt schließlich der Umzug nach Frankreich dar. Hier ist Heine ganz in seinem Element. Die Überwindung von Grenzen, die Vermittlung zwischen den Kulturen, der Ausgleich in der politischen Perspektive, die Annäherung der deutschen Heimat an das französische Gastland sind Anliegen von großer Tragweite mit europäischem Zuschnitt und kosmopolitischen Folgerungen.

Neben diesen Leistungen ist daran zu erinnern, dass Heine zu den ersten Autoren der Moderne gehört, die der Großstadt ein Denkmal setzten. Er kannte Frankfurt am Main, Hamburg, Berlin und München, lebte am längsten jedoch in Paris, für ihn die Hauptstadt der Welt. Die Erfahrungen seines Lebens hat er in sein Werk einfließen lassen. Es wird oft mit Recht behauptet, dass er an die prophetische Tradition anknüpfe; tatsächlich versteht er das Amt des Dichters als eines aus historischer Verantwortung zugunsten einer Zukunft, die den Menschen ihren Platz in der Welt sichert, damit sie nicht Opfer der Verhältnisse werden, sondern die Erde sinnvoll gestalten. Vielleicht ist gerade diese einfache Botschaft, gepaart mit dem Heine eigenen Ausdruck, das Geheimnis für seinen internationalen Ruhm.

Leben

Kindheit und Schulzeit in Düsseldorf (1797-1815)

Zur Welt kam Heinrich Heine in der Bolkerstraße, im heutigen Haus Nr. 53, im Herzen Düsseldorfs. »Die Stadt Düsseldorf ist sehr schön, und wenn man in der Ferne an sie denkt und zufällig dort geboren ist, wird einem wunderlich zu Mute. Ich bin dort geboren, und es ist mir, als müßte ich gleich nach Hause gehn.« (B 2, S. 261) So lautet im Reisebild *Ideen. Das Buch Le Grand* von 1826 seine frühe, ebenso existentielle wie romantische Reverenz, die er der Geburtsstadt erweist.

Geburtshaus, vgl. S. 134

In der heutigen Altstadt besaß die 1288 zur Stadt erhobene kleine rechtsrheinische Residenz ihren Mittelpunkt. Die Stadt der Grafen und Herzöge von Jülich und Berg und späteren Kurfürsten von der Pfalz lag zwar nicht gerade im Zentrum der politischen und sozialen Interessen Deutschlands und Europas. Aber immerhin ist hier als Resultat des jülich-klevischen Erbfolgestreits einer der Ausgangspunkte für den großen nachreformatorischen Krieg in Deutschland von 1618 bis 1648 verborgen.

Betty Heine, geb. van Geldern. Porträt von Isidor Popper. Hamburg nach 1840

Die Familie der als ernst und gebildet beschriebenen Mutter Heines, Peira oder Betty van Geldern (1771-1859), war schon seit einigen Generationen, vom nahen Holland kommend und wohl von sephardischen Juden aus Spanien abstammend, in der kreglen Stadt ansässig. Betty van Gelderns Vorfahren hatten sich als Hoffaktoren und Vorsteher der bergischen Judenschaft verdient gemacht und waren dabei reich und einflussreich gewesen. Sie versorgten die Kurfürsten mit allem, wessen die Hofhaltung materiell bedurfte. Das ursprüngliche Palais von Heines Ururgroßvater Juspa van Geldern vor den Toren des damaligen Düsseldorf, wo auch der erste Betsaal der jüdischen Gemeinde eingerichtet war, zeugt bis heute vom verblichenen Glanz der mütterlichen Familie.

Die van Gelderns Inzwischen waren die männlichen Mitglieder der Familie van Geldern teilweise in den bedeutenden, wenn auch weniger wohlhabenden Stand der Judendoktoren übergewechselt und hatten an der judenfreundlichen Duisburger Universität ihr Studium abgeschlossen: so Heines Großvater Gottschalk van Geldern und ein Bruder seiner Mutter, der früh verstorbene Onkel Joseph Gottschalk van Geldern, der sogar vom zuständigen Kurfürsten Karl Theodor zum Hofmedikus in München ernannt worden war. Indem die van Gelderns in Düsseldorf neben der Arztpraxis auch Leihgeschäfte betrieben, bewiesen sie aber auch eine gewisse geschäftliche Flexibilität.

In der Mertensgasse 1 lag das Haus »Zur Arche Noae«, das Heim der van Gelderns. Ein anderer Bruder der Mutter namens Simon, schriftstellernder Notariatsschreiber, hauste beispielsweise hier als liebenswürdiger Kauz in einem gemeinsamen Haushalt mit der ebenfalls unverheirateten Schwester Hanna. Dort auf dem Dachboden stöberte der junge Heine in der Hinterlassenschaft seines abenteuerlichen und gelehrten Großonkels, des Chevaliers Simon von (oder sogenannten Barons de) Geldern, der auf weitläufigen Reisen bis nach Palästina gelangt war und mit dem sich der Großneffe auf geradezu phantastische Weise wesensverwandt fühlte. Dem jungen Poeten konnte also früh neben der notgedrungenen Andersartigkeit und Außenseiterschaft die Besonderheit der eigenen Familie bewusst werden.

Vater Heines Vater Samson Heine (1764-1828) war im Herbst 1796 aus dem Norddeutschen in die rheinische Residenz- und Gartenstadt mit ihren damals noch weniger als 20 000 Einwohnern, darunter keine 200 Juden, zugezogen. Am 1. Februar 1797 heiratete er Betty van Geldern, zwar gegen den Widerstand der jüdischen Gemeinde, die mittellose neue Gemeindemitglieder nicht eben freudig begrüßte, aber dafür mit ausdrücklicher Unterstützung des Düsseldorfer Magistrats. Auch er stammte aus einer Hoffaktorenfamilie, die in Bückeburg für den dortigen Fürsten tätig war. Der Weg seiner engeren Angehörigen führte allerdings weiter über Hannover nach

Hamburg, wo es sein drei Jahre jüngerer Bruder Salomon Heine (1767-1844) als Bankier sehr bald zum vielfachen Millionär und Mäzen brachte und wo die Familie seines zehn Jahre jüngeren Bruders Henry ebenfalls zu bürgerlichem Wohlstand gelangte.

Samson Heine, lebenslustig und heiter, ein Mensch des Rokoko, aber ohne eigenes Vermögen, eröffnete nach der Hochzeit in der Bolkerstraße 53 sein Textil- bzw. Manufakturwarengeschäft. Das Haus, das aus einem Vorder- und einem Hinterhaus mit Gärtchen bestand, gehörte entfernten Düsseldorfer Verwandten seiner Frau, die dort ebenfalls wohnten. Sie gaben diesen Komplex erst einige Jahrzehnte später auf und nahmen ihren Weg als Bankiersfamilie namens Bernhard Simons u. Co. über den exklusiveren Schwanenmarkt an die vornehme Königsallee. Somit wählten sie nach Hoffaktorentum und Arztberuf die dritte Variante der jüdischen Integrationsbemühungen: das Engagement für Industrie und Wirtschaft. Bankhaus und Familie wurden in den 1930er Jahren Opfer des Nationalsozialismus. Nie also darf man die dunkle Grundierung von Heines Herkunft bis in die private und öffentliche Wirkungsgeschichte hinein aus dem Auge verlieren. Im Jahre 1809 wurde von Heines Eltern das gegenüberliegende Haus Bolkerstraße 42 erworben, das als Wohnsitz diente, bis Anfang 1820 die Familie infolge von Geschäftsbankrott und einer Erkrankung Samson Heines nach Norddeutschland zog.

Heines Geburtshaus: Das Hinterhaus in der Bolkerstr. 53

Geburtstag

Heines Geburtstag wird regelmäßig am 13. Dezember gefeiert, doch sind weder der Tag noch vor allem das Jahr 1797 historisch gesichert. Er selber hat sich gerne als Grenzgänger zwischen dem 18. und 19. Jahrhundert gesehen. Dass sein Geburtsdatum nur aufgrund einer familiengeschichtlich akribischen, wenn auch nicht ganz eindeutigen Schlussfolgerung ermittelt werden konnte, ist einem Brand zuzuschreiben, der das Archiv der jüdischen Gemeinde vernichtete. Während die christlichen Taufen in den *Gülich-Bergischen Wöchentlichen Nachrichten* gemeldet wurden, waren die Kinder der kleinen Düsseldorfer jüdischen Gemeinde in den letzten Jahren des ausgehenden 18. und den ersten des beginnenden 19. Jahrhunderts noch von den Zeitungslisten ausgeschlossen.

»Aus den frühesten Anfängen erklären sich die spätesten Erscheinungen. [...] Ort und Zeit sind auch wichtige Momente: ich bin geboren zu Ende des skeptischen achtzehnten Jahrhunderts und in einer Stadt, wo zur Zeit meiner Kindheit, nicht bloß die Franzosen sondern auch der französische Geist herrschte.« (Heinrich Heine, *Memoiren*; B6/I, S.557)

So kommt es, dass auch für die jüngeren Geschwister Charlotte (ca. 1803-1899), Gustav (ca. 1804-1886) und Maximilian (ca. 1805-1879) die Geburtsjahre nicht genau feststehen. Charlotte war später mit dem Hamburger Kaufmann Moritz Embden, einem jungen Schwager ihres Onkels Henry Heine, verheiratet. Gustav wurde Landwirt, dann machte er Karriere beim österreichischen Militär; anschließend avancierte er in Wien zum erfolgreichen Zeitungsverleger des *Fremdenblatts* und erhielt 1870 den erblichen Freiherrentitel auf den Wunschnamen »von Heine-Geldern«. Maximilian war Arzt und Schriftsteller in St. Petersburg und stieg ebenfalls in den Adel auf.

Die Familientradition selber wollte im Übrigen das Rätsel um das Geburtsdatum offenbar ganz bewusst nicht exakt auflösen, denn immer war es für den Nachwuchs einer jüdischen Familie in einer nicht besonders freundlichen und verlässlichen Umwelt von Vorteil, das eine Mal ein wenig älter und ein anderes Mal ein wenig jünger zu sein. Der ursprüngliche

Vorname aus jüdischer Familie

Vorname des Dichters lautete Harry, was eine Verbeugung vor einem englischen Geschäftsfreund des Vaters gewesen sein soll. Gleichzeitig wollten die Eltern offenbar trotz aller im Zuge der Napoleonischen Zeit naheliegenden Emanzipationsgedanken den Vornamen ihres Ältesten an den seines verstorbenen Großvaters väterlicherseits, Heymann Heine, anklingen lassen. Aus Harry bzw. Heymann entstand dann das spätere »Heinrich«.

Erziehung und Schulbildung

Die Eltern versuchten ihren Kindern die beste Ausbildung zu ermöglichen; vor allem die Mutter war daran interessiert. Eine traditionelle jüdische Erziehung spielte dabei trotz einer

Anleitung durch den jüdischen Lehrer und Verwandten der Familie, Hein Hertz Rintelsohn, im durchaus gläubigen, aber zur gleichen Zeit liberalen Haushalt keine übermäßige Rolle. Der Assimilierungsgedanke und der Wunsch nach einer angemessenen Ausbildung der Kinder waren stärker, und so wurde auch Charlotte, die einzige Tochter, nach Familienberichten bei einer »Pastorin Eichelberg« (HSA 23, S. 265) bzw. bei den Ursulinen unterrichtet. Die drei Jungen der Familie waren zu ihrer Zeit die einzigen jüdischen Kinder auf dem Lyzeum in Düsseldorf, das im ehemaligen, der Säkularisation zum Opfer gefallenen Franziskanerkloster neben der Maxkirche untergebracht war und hauptsächlich von katholischen Priestern, teilweise ehemaligen Ordensgeistlichen, betrieben wurde. Das galt genauso für die dort eingerichtete zweite Volksschule der Stadt, die dem höheren Bildungsweg vorausging. Hier scheint Heine die erste spürbare Ausgrenzung erlebt zu haben, wie es im *Memoiren-Fragment* geschildert wird: Die Prügel, die er vom Lehrer empfing, weil er mit dem naiven Bericht über seinen kleinen jüdischen Großvater mit dem großen Bart die Klassenkameraden zu lautstarken Verunglimpfungen und einem »Höllenspektakel« (B 6/I, S. 574) angeregt hatte, vergaß er nie.

Charlotte Embden, geb. Heine

Heine lernte im ehemaligen Franziskanerkloster, das darüber hinaus auch die Kunstakademie beherbergte, alles, was es nach Meinung seiner Eltern in Bezug auf eine sinnvolle Lebensplanung für ihren Ältesten zu lernen gab. In seiner frühen autobiographischen Prosa *Ideen. Das Buch Le Grand* schildert er witzig den Schulballast mit Griechisch, Hebräisch, Geographie, deutscher und französischer Sprache, Kopfrechnen, den unregelmäßigen lateinischen Verben, der Natur- und deutschen Geschichte sowie der Mythologie. Er kontrastiert das Schulwissen mit der getrommelten, und dadurch umso eindrucksvolleren, Vermittlung der politischen Geschichte durch den französischen Tambour Le Grand, der nach goetheschem Muster bei der Familie Heine einquartiert gewesen sein soll. Dessen Botschaften von den Idealen der Französischen Revolution, von Freiheit, Gleichheit und Brüderlichkeit, hat Heine als Lebensaufgabe übernommen.

»Was aber das Lateinische betrifft, so haben Sie gar keine Idee davon, Madame, wie das verwickelt ist. Den Römern würde gewiß nicht Zeit genug übrig geblieben sein, die Welt zu erobern, wenn sie das Latein erst hätten lernen sollen.« (Heinrich Heine, *Ideen. Das Buch Le Grand*; B 2, S. 267)

Natürlich war auch die reguläre Schulausbildung nicht umsonst. Wichtig wurde für Heine vor allen Dingen der Leiter der Schule, der Priester und ehemalige Minorit Aegidius Jacob Schallmayer, der an der Bonner Universität Kommilitone seines Onkels Joseph und später dort Moraltheologe gewesen war. Bei ihm besuchte er in der obersten Klasse philosophische Kurse. Dass dieser Pädagoge und Theologe von der besonderen Befähigung seines Schülers durchdrungen war und sich als Freund der Familie gar in Rom für eine geistliche Laufbahn Heines einsetzen wollte, ist eine bemerkenswerte Anekdote, mit der Heine nach Kräften spielt, wenn er sich in den *Geständnissen* prophetisch und ironisch als segenspendenden Papst sieht.

Napoleon in Düsseldorf

Anfang November 1811 erlebte Heine den Besuch Napoleons in Düsseldorf mit; dem Vollstrecker der Französischen Revolution, dessen Schwager Joachim Murat seit 1806 als Großherzog von Berg in Düsseldorf residierte und dessen im Rheinland geltendem *Code Civil* Heine die eigenen Grundrechte und Freiheiten verdankte, hat er immer die Treue gehalten. »Aber wie ward mir erst«, schreibt er im *Buch Le Grand*, »als ich ihn selber sah, mit hochbegnadigten, eignen Augen, ihn selber, Hosiannah! den Kaiser.« Und beschließt dieses achte Kapitel über den Besuch Napoleons in Düsseldorf, das wie Jesu Einzug in Jerusalem am Palmsonntag gestaltet ist: »[...] und das Volk rief tausendstimmig: es lebe der Kaiser!« (B 2, S. 274 f.)

Einen förmlichen Abschluss der höheren Lehranstalt machte

Heine nicht, sondern besuchte stattdessen eine Handelsschule namens Vahrenkampf zur intensiveren Vorbereitung auf den Kaufmannsberuf. Er sollte nämlich in die Fußstapfen seines Vaters und des erfolgreichen Hamburger Millionärsonkels Salomon treten. Dass sich dieses Ziel mit seiner Schulbildung und den intensiv genossenen Lektüreerfahrungen als Benutzer der kurfürstlichen öffentlichen Bibliothek nur schwer vereinbaren ließ, versteht sich von selbst. Die Gedichte von Ludwig Uhland und die Romane des Barons Friedrich de la Motte Fouqué, dessen zauberhafte Erzählung *Undine* über Glück und Unglück einer schönen Wasserfrau lesenswert geblieben ist, hatten in dem angehenden Kaufmannslehrling den unwiderstehlichen Reiz der Romantik bereits verankert. Ihr huldigte er mit eigenen Versen schon in Düsseldorf und gab ihr schließlich den Vorzug vor allen vernünftigen Ratschlägen.

Romantikerlektüre

Seiner Vaterstadt bewahrte er ein liebenswürdiges Andenken und zauste sie nicht in jener Weise, wie es anderen Orten, zumal Göttingen, später erging. Kindheit und Schulzeit, Familie und niederrheinische Gesellschaft, besonders die Freundschaft mit seinem Schulkameraden Christian Sethe, Sohn eines hohen Juristen in der Rheinprovinz, dem er auch später immer wieder begegnete, bedeuteten für ihn trotz mancher Einschränkung oder negativer Erlebnisse ein verlorenes Paradies. Er war daraus vertrieben worden und wollte anschließend der Welt beweisen, was in ihm steckte. Sein erster Abschied von Düsseldorf im Jahre 1815 fällt in etwa zusammen mit dem Beginn der preußischen Zeit im Rheinland, wie überhaupt politische Daten und persönliche Ereignisse im Lebenslauf Heines eine Koinzidenz aufweisen, die ihm häufig bemerkenswert, wenn nicht fatal erschien.

Kaufmannszeit in Frankfurt am Main und Hamburg (1815-1819)

Im kleinen, als tolerant geltenden Düsseldorf hatte es kein Ghetto gegeben, im großen Frankfurt am Main konnte Heine es mit all seiner Ausgrenzung kennen lernen. Dort existierte das berühmte und berüchtigte Judenquartier, dem sein Schriftstellerkollege Ludwig Börne (1786-1837) entstammte, mit dem ihn später, in den frühen Pariser Jahren, eine ambivalente Beziehung verband. Die beiden galten lange als Dioskuren der modernen deutschen Literatur, deren anfängliche Freundschaft dann allerdings leider in Feindschaft umschlug. Im September und Oktober 1815 verbrachte Heine in Frankfurt einige Wochen als Volontär und Lehrling beim Bankier Rindskopf und in einer Handlung für Spezereiwaren, wie man das seinerzeit nannte, ohne recht in den Dunstkreis des gut ein Jahrzehnt älteren Börne vorstoßen zu können. An das kaufmännische Praktikum in der Mainmetropole blieben keine guten Erinnerungen haften. Wohl aber wird in seinem späteren, im Mittelalter spielenden Romanfragment *Der Rabbi von Bacherach* dem Frankfurter Ghetto mit seinen Schrecken und kulturellen Besonderheiten ein beachtliches Denkmal gesetzt.

Vgl. *Der Rabbi von Bacherach*, S. 108f., und *Ludwig Börne*, S. 111f.

Ob solche Eigentümlichkeiten von Historie und Identität den jungen Lehrling damals wirklich schon anrührten, ist zu bezweifeln – das Heimweh wird größer gewesen sein. Die Düsseldorfer Infrastruktur scheint für ihn in der Tat etwas von familiärer Geborgenheit und halbwegs vorhandenem Glück in einer ihn tragenden städtischen Umwelt besessen zu haben, während das folgende Erwachsenwerden und die Beschäftigung mit Dingen, die nicht sein primäres Interesse erweckten, für ihn ein frustrierendes Durchgangsstadium darstellten. Er habe in Frankfurt gelernt, »wie man einen Wechsel ausstellt und wie Muskatnüsse aussehen« (B 6/I, S. 560), spottete der alte Heine in seinen *Memoiren*. Das war dennoch nur die Oberfläche. Mit seinem Vater besuchte er dort die Freimaurerloge »Zur aufgehenden Morgenröte« im Klublokal »Zur Harmonie«, wo auch Börne verkehrte. Vater und Sohn Heine gehörten, natürlich zeitlich versetzt, dem für ganze Generationen wichtigen Freimaurertum an, das ihnen als Juden Gleichheit wie Anerkennung und damit humane Existenzbedingungen zusicherte.

Die eigentliche Kaufmannszeit verbrachte Heine dann von 1816 bis 1819 in Hamburg in unmittelbarer Nähe der dortigen Verwandtschaft. Die frühe Frankfurter und Hamburger Zeit muss auch heute noch als die ungeklärteste, möglicherweise auch vom Autor selbst verdrängteste Epoche seiner Biographie angesehen werden. Insgesamt hat er aufgrund der Verlagerung des familiären Mittelpunktes nach Norddeutschland und der seit 1826 bestehenden Verlagsbeziehung zum Hamburger Verleger Julius Campe dort über sieben Jahre seines Lebens verbracht, so dass die Stadt vom jungdeutschen Genossen Theodor Mundt später als Heines zweite Vaterstadt bezeichnet werden konnte. Sein emotionales Leben während der frühen Hamburger Zeit war ganz und gar von der Schwärmerei für seine Kusine Amalie ausgefüllt, Tochter des Millionärsonkels Salomon, für den der Düsseldorfer Neffe zwar ein literarisch begabter Phantast, geschäftlich aber einer der unsichersten Kantonisten blieb. Amalie heiratete 1821 den Königsberger Gutsbesitzer John Friedländer, was in Verbindung mit Napoleons Tod im selben Jahr beim Dichter zweifellos den Eindruck jener bereits angesprochenen Parallelen zwischen Privat- und Weltgeschichte hervorrief.

Ludwig Börne. Lithographie nach einem Gemälde von Moritz Daniel Oppenheim, 1827

Neben dem Stadthaus Salomon Heines am Jungfernstieg gab es die prächtige Villa an der Elbchaussee in Ottensen, wo jenes grandiose, aber imaginär wirkende Leben stattfand, dem Heine auch in seinen glücklichsten Pariser Zeiten trotz aller erlangten Anerkennung und unzweifelhaft akzeptierten Position doch nur als Zaungast beiwohnte. Zum Beobachter und Kritiker konnte er sich also schon während der ersten Hamburger Jahre berufen fühlen, in denen das anvisierte, ihm aufgezwungene Ziel eines selbständigen, den familiären Gepflo-

Der alte Jungfernstieg in Hamburg, vom Gänsemarkt aus gesehen. Kolorierter Stahlstich von J. Gray, um 1850

genheiten entsprechenden Kaufmannsdaseins zwischen den Polen einer dafür mangelnden Begabung, fehlenden Interesses und einer wirtschaftlich ungünstigen Lage zerrann.
Aber auch die Kusinen Fanny und Therese spielten in dieser Phase eine Rolle; mit Therese wurde ihm von der biographisch infizierten Nachwelt ebenfalls ein unglückliches Liebesverhältnis angedichtet. Freundschaftlich wurde der jüngere Vetter Carl (1810-1865) respektiert, mit dem Heine nach dem Tode Salomons dann allerdings den berüchtigten öffentlichen Erbschaftsstreit auszustehen hatte, der für beide Seiten katastrophal war.
Die Stellung in Hamburg vom Juni 1816 bis zum Juni 1819, wo er zunächst für zwei Jahre als Lehrling des mit seinem Onkel Salomon verbundenen Bankhauses Heckscher & Co. arbeitete, war demnach ziemlich unstabil. Als Inhaber der Firma Harry Heine & Comp. machte er sich unter dem Beistand seines Onkels Salomon zwar 1818 mit einem Manufakturwarengeschäft, einer Filiale der väterlichen Firma, selbständig; aber schon die häufigen Wohnungswechsel innerhalb Hamburgs machen seine Unruhe und Mobilität deutlich, ein Charakterzug, der ihm in der späteren deutschen Periode als zugvogelartig ausgelegt wurde und den er ebenfalls in der Pariser Zeit beibehielt. Er bemühte sich als äußeres Zeichen der etablierten Sesshaftigkeit um Aufnahme in die jüdische Ge-

Firma Harry Heine & Comp.

meinde. Nebenbei lernte er die von weit über 100 000 Einwohnern bevölkerte Freie und Hansestadt Hamburg in- und auswendig kennen; dadurch ist in seinem Werk immer wieder eine Stadtplangenauigkeit festzumachen, die beispielsweise in verschiedenen Büchern der *Reisebilder* wie im *Buch Le Grand* und den *Bädern von Lucca*, aber auch in den Sommer- und Winterszenen seines Erzählfragments *Aus den Memoiren des Herren von Schnabelewopski* zu greifen ist.

Literarisches Briefwerk

Der Weggang aus dem Rheinland, die Erfahrung von Fremde und neuer Umwelt stachelte Heine zu fulminanten Briefen an den Düsseldorfer Freund Christian Sethe an, womit er ein Briefwerk eröffnete, das als literarisches, privates Gegenstück zum Œuvre betrachtet werden sollte. Dass es »Huren genug, aber keine Musen« in Hamburg gebe (HSA 20, S. 18), gehört zu jenen frühen Briefbemerkungen, die den Nagel auf den Kopf trafen. Solche Schlaglichter warfen seine brieflichen Beobachtungen und Formulierungen bis zuletzt auf den Gang der Dinge.

> »Mir gehts gut. Bin mein eigener Herr, und steh so ganz für mich allein, und steh so stolz und fest und hoch, und schau die Menschen tief unter mir so klein, so zwergenklein; und hab' meine Freude dran. Christian, Du kennst ja den eiteln Prahlhans?« (Heinrich Heine in einem Brief vom 6. Juli 1816 an Christian Sethe; HSA 20, S. 17 f.)

Was allerdings für den kleinen Hamburger Schutzjuden Hirsch-Hyazinth in den *Bädern von Lucca* gilt, wird auch auf Heine selbst und besonders auf die erste Zeit als Kaufmann in Hamburg anzuwenden sein: Trotz allem handelte es sich bei dieser zweiten Heimat, in der er seine hansestädtischen Gehversuche unternahm, eben doch nur um ein »Stiefvaterländchen« (B 2, S. 402). Nach einem besseren, ja adäquaten Sitz im Leben musste der junge Mann weiter auf der Suche sein, denn auch das erkennbare Katholisieren, das durchaus der norddeutschen Zeitströmung entsprach, und eine als Ersatz berufene Madonnenfrömmigkeit halfen auf die Dauer nicht weiter.

Man sollte gewiss die frühen Jahre Heines als Kaufmann und seine gleichzeitigen literarischen Bemühungen nicht romantisieren und sich geheimnisvoller ausmalen, als sie in Wirklichkeit waren; sie besitzen jedoch einen besonderen Zauber der Verschwiegenheit und des mühevollen Beginns, bilden den Kokon, aus dem sich der Schmetterling befreien wird. Heine schrieb Gedichte und wollte sie gedruckt sehen. Was er als Plattform fand, waren unbedeutende biedermeierliche, ja im Kern sogar restaurative Zeitschriften wie *Hamburgs Wächter*. Hier griff er, die literarische Herkunft seiner sechs Gedichte grotesk verschleiernd, im Februar und März 1817 zu einem ebenso wüsten wie sprechenden Anagramm: Sy Freudhold Riesenharf (in anderer Folge als »Harry Heine Duesseldorff« aufzulösen) hieß der Dichter, der sich etwas umständlich und in zahlreichen Diminutiven an der schwarzen wie der frommen Romantik gütlich tat und bei dem es von Geistern und Friedhöfen, Liebchen und Todesdarstellungen nur so wimmelte. Noch passte der junge Dichter ganz zur literarischen Umgebung, auch wenn sich bereits eigene Töne und bemerkenswerte Themen andeuteten. Diese ersten Texte sah Heine auch später noch mit Erfinderstolz und Selbstbewusstsein, wie sein Kontakt im November 1820 zum Verleger Friedrich Arnold Brockhaus belegt, als durchaus ernstzunehmende Vorboten seines Dichterberufes an und nahm sie deshalb auch ohne Skrupel in sein lyrisches Werk auf. Mit anderen Worten: Sein Wunsch, Dichter zu sein, hatte vor jeder Art von Berufsausübung oder Studium Vorrang. Dieses Bewusstsein verselbständigte sich und wollte sich Raum schaffen, so dass es bei der Berufswahl nur noch um das verlässliche Standbein und eine sichere Basis gehen konnte. Im Grunde strebte Heine das freie Schriftstellerdasein bereits in dieser frühen Zeit als mögliche Lebensform an oder fasste es neben allen anderen Standortversuchen wenigstens schon ins Auge.

Pseudonym

»Beyliegend erhalten Sie ein Manuskript betitelt ›Traum und Lied‹ welches ich Ihnen zum Verlag anbiete. Ich weiß sehr gut daß Gedichte in diesem Augenblick kein großes Publikum ansprechen, und daher als Verlagsartikel nicht sonderlich geliebt seyn mögen. Deßhalb aber habe ich mich eben an Sie, Herr Brockhaus, gewannt, da es mir auch nicht unbekannt geblieben seyn konnte daß es Ihnen beym Verlag von Poesien auch ein bischen um der Poesie selbst zu thun ist [...].« (Heinrich Heine in einem Brief vom 7. November 1820 an Friedrich Arnold Brockhaus; HSA 20, S. 31)

Jurastudium in Bonn, Berlin und Göttingen (1819-1825)

Am Ende der Hamburger Zeit musste Heine es auch als eigenes Fiasko erleben, als das väterliche Geschäft in Düsseldorf Bankrott ging; obendrein wurde er Zeuge der persönlichen, mehr als beklagenswerten Situation seines Vaters, der offenbar an Epilepsie erkrankt war, zunehmend an Demenz litt und schließlich entmündigt und von seinen Brüdern in die Hansestadt einbestellt wurde. Ausgestattet mit mütterlichen Barmitteln, vor allem wohl auch durch die ebenfalls einsetzende, familienübliche materielle Fürsorge von Salomon Heine, konnte er selber dagegen im Sommer 1819 nach Düsseldorf zurückkehren, sich auf die Aufnahmeprüfung für die Bonner Universität vorbereiten und dort zum Wintersemester des Jahres mit einem Jurastudium beginnen, das ihm das aussichtsreichste Sprungbrett für die Selbständigkeit schien.

Salomon Heine. Lithographie von Otto Speckter, 1842

Das juristische Studium war für ihn stets von historischen und philologischen Interessen und Vorlesungen begleitet. Dass er gleich am 18. Oktober 1819, dem Jahrestag der Völkerschlacht von Leipzig, am studentischen Fackelzug zum Bonner Kreuzberg teilnahm und aktenkundig wurde, zeigt seine von früh an bewusste Einmischung bei politischen Gelegenheiten. Als Student der Rechts- und Kameralwissenschaften hörte er gleichwohl bei Ernst Moritz Arndt die Vorlesung über die Geschichte des deutschen Volkes und Reichs anhand von Tacitus' *De moribus Germanorum*. Von nachhaltiger Bedeutung wurde für ihn die Bekanntschaft mit einem anderen Professor, bei dem er anfänglich die Geschichte der deutschen Sprache und Poesie und im Sommersemester das *Nibelungenlied* und die deutsche Verskunst studierte: August Wilhelm Schlegel, der große Philologe und Übersetzer, wurde ihm an der Bonner Universität mit ihren überschaubaren Studentenzahlen (was damals überhaupt für sämtliche akademischen Orte galt) ein feinsinniger, auch privater Lehrmeister in allen die Metrik und den Reim betreffenden Fragen.

E. M. Arndt

A. W. Schlegel

Das Studium und das anregende akademische wie studentische Umfeld sind denn auch als wirkliche Geburtsstunde des Dichters Heine zu betrachten. Einige seiner Bonner Kommilitonen machten später ebenfalls ihren Weg, zum Beispiel der Arzt Johann Friedrich Dieffenbach, der heute als Begründer der Plastischen Chirurgie verehrt wird; aber auch Heines späterer Gegenspieler Wolfgang Menzel, der als Stuttgarter Literaturpapst eine verhängnisvolle Rolle beim Verbot des Jungen Deutschland spielte, gehörte zu den befreundeten Studiengenossen. Der 1820 erfolgte Kontakt zum *Rheinisch-westfälischen Anzeiger* in Hamm ermöglichte Heine dann eine erste Plattform innerhalb der lebendigen literarischen Szene seiner neuen Umgebung mit ihren lokalen Schriftstellergrößen und Kommilitonen wie Johann Baptist Rousseau und Friedrich Steinmann. Und die Arbeit an seiner Tragödie *Almansor* machte aus ihm endgültig den mit historischen Bücherschätzen im Rücken auf die Historie zwar rekurrierenden, aber durch und durch gegenwärtigen Autor, dessen Ambitionen sich damals noch auf die Bühne bezogen.

Vgl. *Almansor*, S. 84f.

Im Herbst 1820 absolvierte er seinen letzten kurzen Besuch in Düsseldorf. Bereits Anfang des Jahres, nach dem finanziellen Ruin, waren Mutter und Geschwister dem Vater nach Norden gefolgt; die Familie hatte sich gewissermaßen der Hamburger Kuratel unterworfen und war über Oldesloe nach Lüneburg gezogen, damit der kranke Vater dort die Salzbäder in Anspruch nehmen konnte. In Düsseldorf lebten seitdem nur noch wenige enge Verwandte, beispielsweise Heines verehrter Onkel Simon, der 1833 starb, und dessen Schwester Hanna, die bis 1842 lebte. Bei seinem Besuch vergaß Heine auch nicht, die Gräber von Familienmitgliedern zu besuchen, die ihn an seine Kindheit und Jugend erinnerten. Er war sich der Kontinuität innerhalb der menschlichen Gesellschaft bewusst: Die Gegenwart steht auf den Schultern der vorausgegangenen Generationen und muss in die Zukunft blicken.

Von Düsseldorf aus ging es dann meistenteils zu Fuß durch Westfalen über Hagen, Unna, Hamm und Soest nach Göttingen, wo er sein Studium fortsetzen wollte. Von der dortigen Universität wurde er wegen einer ziemlich umgehenden Verwicklung in ein Pistolenduell am Ende des Wintersemesters für den Zeitraum eines halben Jahres relegiert. Überhaupt scheint Heine kein furchtsamer Student gewesen zu sein; Kontakt zu Verbindungen und Bekanntschaft mit Duellen hatte er bereits in Bonn gehabt und behielt Letztere auch bis in seine Pariser Jahre bei, um sie zur wichtigen Form der Auseinandersetzung zu kultivieren. Insofern blieb das ansonsten durch wenig Ablenkung vom Studium sich bewährende Göttingen vorerst einmal nur ein Zwischenspiel. Ähnlich wie in Bonn zeigte sich aber auch hier Heines weit über das Examen hinaus gerichtete Absicht, sich in einer Miniaturwelt als Erwachsener ohne Duckmäuserei zu beweisen.

Göttinger Duell und Relegation

Nach einem Intermezzo bei seinen Eltern und Verwandten in Oldesloe bzw. Hamburg Ende März 1821 konnte er sich nach Berlin wenden und nahm dort zunächst Wohnung in der Behrensstraße 71, blieb allerdings seiner Zugvogelnatur treu und zog danach noch mehrmals um. In der preußischen Hauptstadt erschloss sich ihm die Welt mit all ihren Facetten von Wissenschaft und Kultur, Politik und öffentlichem Leben in einer Weise, die alles Frühere als unzureichende Vorbereitung in den Schatten stellte. Hier auch wurde ihm zum ersten Mal die prekäre Situation bewusst, in der sich ein angehender Schriftsteller als Jude in Deutschland befand. Er verkehrte im Salon von Rahel Varnhagen, Jüdin und Konvertitin, deren

Salon der Rahel Varnhagen

Rahel und Karl August Varnhagen von Ense

Mann Karl August Varnhagen von Ense ebenfalls in Düsseldorf geboren worden war. Durch diese dauerhafte Bekanntschaft, ja gegenseitige Liebe war für eine lehrreiche Anregung sowie gediegene Anerkennung und Wirkung in der Öffentlichkeit gesorgt. An der Universität hörte er unter anderem den damals berühmtesten Statthalter der Philosophie Georg Wilhelm Friedrich Hegel. Als Mitglied im »Verein für Kultur und Wissenschaft der Juden« brachte Heine sich außerdem in den Diskurs über die möglichen Formen der Integration in den deutschen, vom Christentum bestimmten Kontext ein. Die für ihn wichtigsten Bezugspersonen dieses Kreises waren der Hegel-Schüler Eduard Gans, der jüdische Theologe Leopold Zunz und der Bankangestellte Moses Moser, der für lange Zeit sein engster Vertrauter wurde.

Die Berliner Zeit war aber auch mit dem Namen des im August 1822 verstorbenen E. T. A. Hoffmann verknüpft, in dessen Werk Heine dem Doppelgängermotiv begegnen konnte. Entfremdung und Außenseitertum wurden ihm durch die Begegnung mit Adelbert von Chamisso besonders bewusst, dessen persönliches Schicksal sowie die Erzählung *Peter Schlemihls wundersame Geschichte* von 1814 über den Mann, der seinen Schatten verkaufte und dadurch vom Leben ausgeschlossen war, spiegelbildliche Funktionen zu erfüllen vermochten. Aber auch den ungebärdigen jungen Dramatiker Christian Dietrich Grabbe aus der kleinen lippischen Residenz Detmold lernte er in Berlin kennen.

Berliner Publikationen

Bald gelang es ihm, einige Gedichte erfolgreich an Friedrich Wilhelm Gubitz, den Herausgeber der Berliner Zeitschrift *Der Gesellschafter*, zu vermitteln, während er seine assoziativen Berichte über das hauptstädtische Leben und Treiben als *Briefe aus Berlin* im *Rheinisch-westfälischen Anzeiger* veröffentlichte; dessen Leser konnten somit auf faszinierende Weise etwa an dem unglaublichen Erfolg von Carl Maria von Webers neuer Oper *Der Freischütz* teilhaben. Heines *Gedichte* erschienen mit der Jahreszahl 1822 beim Verlag Maurer in Berlin und fanden beispielsweise im wenig älteren Dichter und Juristen Karl Immermann gleich den verständnisvollsten Rezensenten. Im Jahr darauf folgten die *Tragödien, nebst einem lyri-*

»In den meisten seiner Erzeugnisse schlägt eine reiche Lebensader; er hat das, was das erste und letzte beim Dichter ist: Herz und Seele, und das, was daraus entspringt: eine innre Geschichte. Deshalb merkt man den Gedichten an, daß sie nur Konfessionen seiner Brust sind, daß er ihren Inhalt selbst einmal stark durchempfunden und durchgelebt hat. Er ist ein wahrer Jüngling, und das will viel sagen zu einer Zeit, worin die Menschen schon als Greise auf die Welt kommen.« (Karl Immermann über Heines *Gedichte* im *Rheinisch-Westfälischen Anzeiger* vom 31. Mai 1822; zit. n. Galley/Estermann 1, S. 34)

schen Intermezzo bei Dümmler, ebenfalls in Berlin. Hier war neben dem *Almansor* auch der *Ratcliff* vertreten. Erfolgreicher konnte ein junger Autor augenscheinlich nicht sein. Auch nicht wirkungsvoller neuen Eindrücken und Erfahrungen ausgesetzt! Von Berlin aus war er bereits im August und September 1822 auf Einladung seines polnischen Studienfreundes Eugen von Breza in den preußischen Teil Polens, nach Posen und Gnesen, gereist, wovon anschließend im *Gesellschafter* seine originelle Beschreibung *Über Polen* handelte. Diese Arbeitsmethode, Reiseerlebnisse als Feldforschung zu betreiben und literarisch zu verarbeiten, behielt Heine bis in seine letzten beweglichen Jahre vor seiner Matratzengruft bei.

Lüneburg

Mitte 1823 verließ Heine Berlin und reiste nach Lüneburg, wo seine Eltern und Geschwister mittlerweile am Ochsenmarkt 1 in einem repräsentativen Haus lebten, das heute mit seinem Namen verbunden wird. Damit kehrte er, wie er es in Briefen an Fouqué und Immermann ausdrückte, in den »Schooß« seiner Familie zurück (HSA 20, S. 88 f. u. 90 f.). Als seine Schwester Charlotte einen guten Monat später auf dem Zollenspieker bei Hamburg heiratete, war die Feier ganz dazu angetan, den für ihn notwendigen familiären Zusammenhalt wieder zu festigen. Dem bald sich einstellenden Nachwuchs im Hamburger Hause seiner Schwester schenkte Heine sein Leben lang die größte Aufmerksamkeit und Fürsorge. Zwei in die vornehme Welt aufgestiegene Kinder von Lottchen, wie sie liebevoll genannt wurde, Heines älteste Nichte Maria, spätere Principessa della Rocca, und der Neffe Ludwig Baron von

Embden widmeten ihrem berühmten Onkel erfolgreiche, wenn auch harmlose Erinnerungsbücher und taten es darin ihrem Onkel Max gleich.

Im biedermeierlichen Umfeld der ihm anfangs wenig zusagenden Salinenstadt mit ihren etwa 14000 Einwohnern – er taufte sie gleich mehrmals »Residenz der Langeweile« (HSA 20, S. 110 u. 111) und sprach gar von einem »Culturableiter« auf dem Rathaus (HSA 20, S. 120) – konnte der junge Dichter allerdings nur zögernd Fuß fassen und brachte gern den Großstädter und Hegelschüler zur Geltung. Lüneburg wurde nach Düsseldorf und Hamburg jedoch die dritte Stadt, mit der Heine für längere, wenn auch immer wieder unterbrochene Zeit das Erlebnis, sich bei seiner engsten Familie zu Hause fühlen zu dürfen, verbinden konnte.

Von Lüneburg und Hamburg aus begannen nun auch seine Erholungsaufenthalte an der deutschen Nordsee, zu deren Dichter er geworden ist. Das Meer sei seine Seele, stellte er jubelnd fest, wozu schon die Eindrücke aus Cuxhaven und Ritzebüttel im Sommer 1823 beitrugen. Auch besaßen das Badeleben und die Konversation mit manchen Damen von Geblüt einen anregenden Reiz; dabei konnte Heine seine Beobachtungsgabe und Formulierungskunst, seine grenzüberschreitende Bildung und seinen Witz unter Beweis stellen. Heine bedurfte dieser Kuren zur Stabilisierung seiner immer wieder von Migräneanfällen getrübten Gesundheit. Auch wenn einige seiner Klagen über Unwohlsein einer Neigung zur Hypochondrie zugeschrieben werden dürfen, sind die psychosomatischen Beschwerden ernst zu nehmen, die in den regelmäßigen Seereisen Linderung fanden.

Die Hamburger und Lüneburger Verhältnisse wendeten sich ebenfalls zum Guten. In Lüneburg lernte er den gleichaltrigen Juristen und Schriftsteller Rudolf Christiani kennen, den späteren Mann seiner französischen Kusine Charlotte Heine aus Bordeaux (deren Nichte Alice Heine am Ende des 19. Jahrhunderts gar für einige Zeit Fürstin von Monaco war). Durch diesen begabten Feingeist war endlich die Integration in die Lüneburger Gesellschaft gewährleistet.

Anfang 1824 setzte Heine sein Studium in Göttingen fort und

benutzte dort – wie schon in Bonn – fleißig die Universitätsbibliothek, wodurch er nachweislich vielen Kommilitonen weit überlegen war; der so leichtfüßig auftretende Schriftsteller Heine gehört also in Wahrheit zu den gelehrten Dichtern. Göttingen war für den erfolgreichen Studienabschluss das richtige Rezept. Zwar wurde der Aufenthalt im April durch eine Reise über Magdeburg, wo der literarische Weggefährte Karl Immermann lebte, nach Berlin unterbrochen. Aber Studium und literarisches Schaffen gingen nunmehr Hand in Hand; Arbeiten am Romanfragment *Der Rabbi von Bacherach* und das Schreiben von Gedichten begleiteten die juristischen Studien. Die Nachricht vom Tod des englischen Dichters Lord Byron am 19. April 1824, während des griechischen Befreiungskrieges, wühlte Heine zutiefst auf: Er trauerte um seinen »Vetter«, wie er Byron zu nennen pflegte (HSA 20, S. 163 u. 166). Schließlich hatte er einiges von ihm übersetzt.

Gelehrter Dichter

Mitte September 1824 trat Heine dann seine berühmte Fußwanderung durch den Harz an, die ihn bis nach Weimar führte, wo er am 2. Oktober Goethe besuchte. Für beide war dieses Zusammentreffen unerquicklich: Eine noble alte und die ungebärdige junge Zeit prallten aufeinander. Immerhin aber war diese Reise literarisch ertragreich – die belebende Entdeckung von Natur und Landschaft samt dem Besuch des Bergwerks in Clausthal, dem Aufenthalt in Goslar, dem Aufstieg zum Brocken und weiterer Stationen wie Wernigerode, Eisleben, Halle, Weißenfels, Naumburg und Jena schildert Heine, wenigstens teilweise, in seiner *Harzreise*, mit der er seinen Durchbruch auch als Prosaautor fand.

Vgl. *Die Harzreise*, S. 94ff.

Mit dem Abschluss seines juristischen Examens Anfang Mai 1825 entschloss sich Heine dazu, sich vor der anstehenden Promotion protestantisch taufen zu lassen, allerdings nicht in Göttingen, sondern im nahe gelegenen Heiligenstadt, denn der Taufakt sollte so unauffällig wie möglich vonstatten gehen. Vielen galt der junge Heine nach Namen und Lebensführung als Christ. Nur Mitglieder der beiden christlichen Konfessionen besaßen die Möglichkeit, ein öffentliches Amt anzustreben. Heines Taufe stellte zweifellos eine Mischung aus sich selbst abgerungener Anpassung und leidlicher Akzeptanz dieses Schrittes dar: Heine wollte ein deutscher Dichter sein, fand die religiöse Auflage aber eine Zumutung für das freie Gewissen. Die erhoffte Integration, wie Heine bald spüren sollte, war mit der Taufe vergeblich angestrebt worden.

> »Ich weiß daß ich eine der deutschesten Bestien bin, ich weiß nur zu gut daß mir das Deutsche das ist, was dem Fische das Wasser ist, daß ich aus diesem Lebenselement nicht heraus kann [...]. Ich liebe sogar im Grunde das Deutsche mehr als alles auf der Welt, ich habe meine Lust und Freude dran, und meine Brust ist ein Archiv deutschen Gefühls [...].« (Heinrich Heine in einem Brief vom 7. März 1824 an Rudolf Christiani; HSA 20, S. 148)

Die späteren Rassetheorien, die mit der Religionszugehörigkeit nichts zu tun haben, warfen ihre Schatten auf Heines Lebenslauf bereits voraus. Der große Judenschmerz, wie Börne dieses Phänomen beschrieben hat, oder der nie abzuwaschende Jude, wie es bei Heine heißt, würde ein Leben lang sein Begleiter sein und bestimmte selbst die posthume Wirkungsgeschichte.

Taufe und Promotion

Die Taufe auf den Namen Christian Johann Heinrich fand am 28. Juni 1825 in der Wohnung des Heiligenstädter Pfarrers Gottlob Christian Grimm statt, der sich vorher von Ernst und Wissen des Kandidaten ausführlich und längere Zeit hindurch überzeugt hatte. Am 20. Juli folgte die Promotion mit einer Disputation über fünf Thesen in lateinischer Sprache. Bei Examen und Promotion erlangte Heine nur die Note drei, was nicht gerade auf einen juristischen Überflieger hinwies; der nicht unbedeutende Doktorvater Gustav Hugo war sich dagegen der literarischen Begabung seines Schülers durchaus bewusst und machte auch keinen

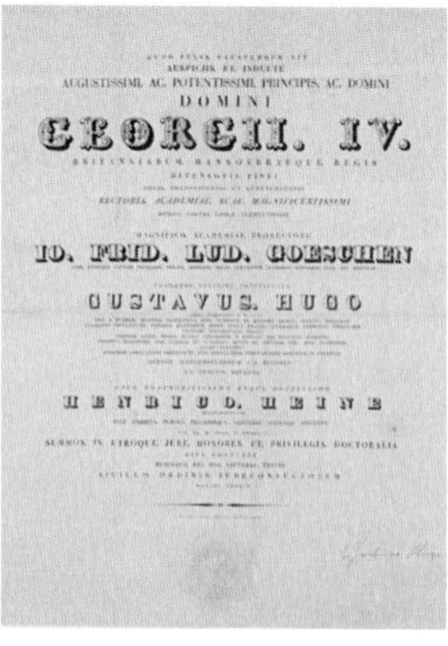

Die Promotionsurkunde der Universität Göttingen, ausgestellt für Heinrich Heine am 20. Juli 1825, unterzeichnet von Gustav Hugo

Hehl daraus. Die Göttinger Phase war am 31. Juli 1825 mit dem obligatorischen Doktorschmaus im Garten des Forstmanns Swoboda abgeschlossen.

Freier Schriftsteller zwischen Hamburg und München (1825-1831)

Heines vermeintlich volle Eingliederung in die deutsche Gesellschaft und sein unabänderlicher Wunsch, ein deutscher romantischer Dichter zu werden, hatten also ihr Opfer verlangt. Beide Prämissen forderten den Übertritt zum Christentum durch die Taufe als »Entreebillett zur europäischen Kultur« (B 6/I, S. 618), wie er das in seinen Notizen kurzerhand nannte, den Schritt dennoch bereuend. Denn das gleichzeitig abgeschlossene juristische Examen samt Promotion konnte ihm die Pforten zu einer akademischen Karriere als Professor für Geschichte oder Literatur in Berlin oder München oder als Syndikus in Hamburg doch nicht öffnen. Die jüdische Herkunft und der unbefangene Ton seiner Schriften wirkten zusammen als Hindernis. Ihm blieben die Abhängigkeit vom Hamburger Onkel Salomon, das freie Schriftstellerdasein und zwischendurch von 1827 auf 1828 ein halbes Jahr als Redakteur bei der Münchener Zeitschrift des Barons Johann Friedrich von Cotta, den *Neuen allgemeinen politischen Annalen*. Er hatte viel literarische Vorarbeit geleistet, war durch zahlreiche Veröffentlichungen in den ebenso zahlreichen Zeitschriften bereits zu einer jungen Berühmtheit geworden. Jetzt handelte es sich darum, das während des Studiums Erreichte für eine ausbaufähige Karriere ins Spiel zu bringen. Aus dem gescheiterten Kaufmann und halbwegs erfolgreichen Jurastudenten war ein junger Autor für alle Lebenslagen geworden, vor allem freilich das kritische und moralische Gewissen in einer restaurativen Gesellschaft, die von Zensur bestimmt und allen möglichen hierarchischen Gliederungen unterworfen blieb. Die Welt in einem durch Kleinstaaterei zersplitterten Deutschland stand Heine nur bedingt offen.

Als Erstes erfolgte eine Badereise auf die Insel Norderney mit einer anschließenden Exkursion durch das Wesertal und Westfalen. Dann lebte er in Lüneburg, wo auch der Göttinger

Studienfreund Philipp Spitta mit seinem theologischen Mystizismus für ihn eine Rolle spielte, und Hamburg, wo er einen weiteren Freund und Helfer kennen lernte, den gut zehn Jahre älteren Kaufmann Friedrich Merckel, dessen Bruder in Lüneburg Pastor war.

Der Verleger Julius Campe

Zu den Glücksfällen seines Lebens zählte Anfang 1826 in Hamburg die Bekanntschaft mit dem tatkräftigen Verleger Julius Campe (1792-1867). Nun ging es für die Zukunft und beinahe sein ganzes Schaffen hindurch Schlag auf Schlag. Beide ergänzten sich wunderbar, führten nach eigener ironischer Sprechweise eine literarische Ehe. Titelfindung und Ermunterung, Gliederung der Werke und strategisches Vorgehen, um der durch die Karlsbader Beschlüsse von 1819 verschärften Zensur ein Schnippchen zu schlagen – bei all solcher notwendigen Kooperation handelte es sich um ein gemeinsames ernsthaftes Spiel. Die Absicht lautete dabei eindeutig: Freiheit und mehr demokratische Rechte. Es gab zwischendurch immer wieder einmal Krisen und Kräche, aber insgesamt eröffnete das Gespann Heine und Campe die neue mutige Literaturepoche des Jungen Deutschland und des Vormärz und glich dem vorhergehenden Paar Goethe und Cotta in jener von Heine so apostrophierten »Kunstperiode« (B1, S. 446 u. B3, S. 72), die spätestens mit Goethes Tod 1832 zu Ende ging. Den ersten gemeinsamen Coup landeten sie gleich im Mai 1826 mit dem ersten Band der *Reisebilder*, der die *Harzreise*, die Gedichte der »Heimkehr« und die erste Abteilung der (lyrischen) »Nordsee« enthielt. Zumal mit der »Heimkehr«, die das Loreley-Gedicht enthält, war die eigene biographische Situation des endlich wieder nach Hause gekommenen verlorenen Sohnes ausgesprochen, obgleich, was die Zukunft betraf, alles in der Schwebe blieb.

Vgl. *Ideen. Das Buch Le Grand*, S. 97 f.

Die Kritik lobte und regte sich auf. Die offizielle Zensur bekam erst im zweiten Band der *Reisebilder* von 1827 ihr unschlagbares Fett weg: Im zwölften Kapitel des *Buchs Le Grand* folgen nach dem Beginn »Die deutschen Zensoren« zahlreiche Zensurstriche, zwischen denen nur ein Wort zu lesen ist – »Dummköpfe« (B2, S. 283). Treffender konnte man die Zustände nicht ausdrücken und gleichzeitig visualisieren.

Julius Campe in seinem Buchladen in Hamburg, Neue Burg 22

Die Hamburger Gesellschaft, darunter Varnhagens Schwester Rosa Maria Assing und ihr Mann, der Arzt David Assing, aber auch Persönlichkeiten aus der Schul- und Theaterwelt, hatte sich mit Heine unterdessen arrangiert. Der Autor aber machte dem Reihentitel bei Hoffmann und Campe alle Ehre und begab sich nun wirklich auf Reisen, zunächst einmal 1827 nach England. Im Sommer des Jahres zuvor hatte er noch den vor der Tür liegenden Bädern Cuxhaven und Norderney einen Besuch abgestattet, war in Lüneburg gewesen und dabei wieder auf den Gedanken verfallen, nach Paris zu übersiedeln; so jedenfalls knüpfte er in Briefen vom Oktober 1826 an Immermann und Varnhagen an eine schon ältere Idee an. Paris erschien ihm als Rettung aus dem erdrückenden deutschen Alltag. Die Reise nach London, die er stattdessen unternahm, und ein Abstecher nach Holland waren somit nur die vorläufige Erweiterung seiner europäischen Perspektive. London, wo er auf familiäre Empfehlung den Musiker Ignaz Moscheles und dessen junge Frau Charlotte, eine geborene Embden, traf, überwältigte ihn, und der glücklich arrangierte Kontakt stellte dabei eine äußerst sympathische Hilfe dar. Die *Englischen Fragmente* legen im vierten Band der *Reisebilder* aus dem Jahre 1831 von den verwirrenden, einen Poeten geradezu überfordernden englischen Eindrücken Zeugnis ab. Von Mitte April bis Mitte September 1827 blieb er auf Reisen, besuchte auch die Seebäder Brighton und Ramsgate und fuhr über Til-

Vgl. *Englische Fragmente*, S. 102 f.

burg, Rotterdam, Leiden und Amsterdam auf die Nordseeinseln. Anschließend war er kurz in Hamburg.

Vgl. *Buch der Lieder*, S. 76ff.

Im Oktober 1827 erschien dann sein *Buch der Lieder*, um dessen Zusammenstellung sich der Hamburger Freund Merckel besondere Verdienste erworben hatte. Mit dieser Gedichtsammlung, der er selbst anfangs mit reichlich Understatement begegnete, wurde sein Name in der Kritik weltweit aufs Unverwechselbarste und Großartigste verknüpft. Insgesamt erschienen zu Lebzeiten des Autors ganze 13 Auflagen!

Als aus München das verlockende Angebot eintraf, als Redakteur der Cotta'schen Zeitung *Neue allgemeine politische Annalen* zu arbeiten, griff Heine zu. Die Reise dorthin begann Ende Oktober 1827 über Göttingen und Kassel, wo der Malerbruder der Brüder Grimm, Ludwig Emil, den Dichter zeichnete. Zu einer Begegnung mit Börne kam es in Frankfurt, wo er auch den Komponisten Ferdinand Hiller kennen lernte. In Heidelberg besuchte er seinen Bruder Max, der dort Medizin studierte, und machte die Bekanntschaft seines späteren Vertrauten Johann Hermann Detmold, und in Stuttgart logierte er bei Wolfgang Menzel. Schließlich in München angekommen, bezog er eine Wohnung im Rechberg'schen Palais, heute das Radspielerhaus, und stürzte sich in die Arbeit. München war nach Hamburg und Berlin die dritte deutsche Metropole, die ihn zu faszinieren vermochte. Er lernte die Stadt und ihre Sehenswürdigkeiten so gut kennen, dass er am 8. Mai 1828 imstande war, auf liebenswürdig gewinnende Art den 18-jährigen Robert Schumann durch München zu führen. Der Umgang mit der Kunst und den Künstlern muss ihm gefallen haben. Gottlieb Gassen, ein Schüler von Peter Cornelius, den Heine als Junge kurz in Düsseldorf erlebt hatte, malte ein idealistisches Porträt von ihm, das später die besondere Begeisterung der größten Heine-Anhängerin aller Zeiten, der Kaiserin Elisabeth von Österreich, herausforderte, die sich mit Heine-Bildnissen zu umgeben pflegte.

Robert Schumann, vgl. S. 122f.

Obwohl das Ehepaar Cotta Heine zugetan war, behielt die Redakteursstellung dennoch nur etwas Provisorisches. Der Minister Eduard von Schenk versuchte ihm eine feste Professur zu verschaffen, ein Plan, der sich dann doch zerschlug.

Heinrich Heine. Radierung von Ludwig Emil Grimm, Kassel 1827, mit den faksimilierten Zeilen: »Verdrossnen Sinn im kalten Herzen hegend, / Schau' ich verdrießlich in die kalte Welt; u.s.w / H. Heine«

Unterdessen folgte Heine dem schwärmerisch vertretenen Anliegen seines Verlegers Campe, eine Italien-Reise zu unternehmen. Er brach Anfang August 1828 auf und reiste unter anderem über Innsbruck, Bozen, Verona, dann über Brescia, Bergamo und Mailand weiter nach Marengo. Dort auf dem Schlachtfeld war der untergegangenen Zeit des großen Korsen Napoleon zu gedenken, aber auch der Emanzipation, die Ströme von Blut kostet, und der Beziehung des Einzelnen zur Gesellschaft sowie der Bedeutung des Individuums. »Unter

Vgl. S. 98ff.

jedem Grabstein liegt eine Weltgeschichte« (B 2, S. 378), formulierte Heine unsere subjektiven Ansprüche an Glück und persönliche Würde. Schließlich wurde Genua erreicht. Am 24. August war er in Livorno, am 3. September in Lucca bzw. den Bädern von Lucca, einen Monat später in Florenz, das er gegen Ende November wegen einer schweren Erkrankung seines Vaters verließ, um an dessen Sterbebett zu eilen. Über Bologna, Ferrara und Padua ging es nach Venedig und von dort zurück nach München. Ende Dezember erhielt er in Würzburg die Nachricht vom Tod seines Vaters; um seiner Mutter beizustehen, reiste er so schnell wie möglich weiter nach Hamburg. Die süddeutsche und südliche Periode, auch im weiteren Sinn die Phase der nur teilweise gestillten Italiensehnsucht, war unter einem traurigen Vorzeichen zu Ende gegangen.

»Aber ach! jeder Zoll, den die Menschheit weiter rückt, kostet Ströme Blutes; und ist das nicht etwas zu teuer? Ist das Leben des Individuums nicht vielleicht eben so viel wert wie das des ganzen Geschlechtes?« (Heinrich Heine, *Reise von München nach Genua*; B 2, S. 378)

Seine Eltern waren bereits im Sommer 1828 von Lüneburg nach Hamburg gezogen, wo Samson am 2. Dezember desselben Jahres starb. Seinen Vater habe er »von allen Menschen« am meisten geliebt, lautete Heines Bekenntnis (B 6, S. 583). Eine solche Vorliebe für den Vater wird im Falle Heines in der Regel akzeptiert, kennt aber innerhalb der kontroversen Heine-Forschung auch tiefenpsychologisch argumentierende Vorbehalte, die bis hin zum narzisstischen »Mord an seinem Vater« reichen (Futterknecht 1985, S. 127).

Das Jahr 1829 sah ihn im Frühjahr in Berlin, dann für ein Vierteljahr in Potsdam, wo er sich in die Arbeit vergrub, ohne das Naturerlebnis auszuklammern. Auch diesen Aufenthalt wusste er beispielsweise in der »Ersten Nacht« seines Erzählwerks *Florentinische Nächte* literarisch umzumünzen. Heine hatte sich also inzwischen in Deutschland ziemlich umgesehen. Die Luft war für ihn dünner geworden. Das Interesse am Saint-Simonismus, die französische Julirevolution von 1830, die ihn bedrückende Situation in Deutschland mitsamt den Zensurbeschränkungen, die einmal entdeckte Form der modernen Kavaliersreise zugunsten eines daheim gebliebenen

Publikums bestimmten Heines Empfindungen. Nach einem wie im Sommer davor wieder durch einen Helgoland-Besuch bereicherten Jahr 1830 entschloss er sich im Mai 1831 endgültig zu einem auf unbestimmte Zeit angelegten Parisaufenthalt.

Nicht ohne Einfluss auf seine Entscheidung wird auch der unerquickliche Streit mit August Graf von Platen gewesen sein, der sich am zweiten Band der *Reisebilder* (1827) entzündet hatte. Immermann hatte dafür als von Heine erbetene Zugabe Distichen geliefert und unter anderem darin die Orientsucht und Ghaselen-Mode angeprangert. Platen, nach Anspruch und Lebensführung ein exemplarischer Dichter dieser Fernwehästhetik, fühlte sich angesprochen und schlug mit antisemitischen Ausfällen in seiner Literaturkomödie *Der romantische Ödipus* zurück. Heine bot als jüdischer Außenseiter seinem Rivalen prompt die Stirn, indem er in den *Bädern von Lucca* genüsslich eine andere Außenseiterschaft bloßstellte: die Homosexualität seines Kontrahenten nämlich, der, von der sogenannten griechischen Liebe verführt, in seiner Lyrik völlig unzeitgemäße antike Formen und Inhalte verwendet habe. Die öffentliche Meinung richtete sich ziemlich einhellig gegen Heines Angriff unter die Gürtellinie.

Die Platen-Affäre, **vgl. S. 97 u. 100 f.**

»Der Schiller-Göthesche Xenienkampf war doch nur ein Kartoffelkrieg, es war die Kunstperiode, es galt den Schein des Lebens, die Kunst, nicht das Leben selbst – jetzt gilt es die höchsten Interessen des Lebens selbst, die Revoluzion tritt ein in die Literatur, und der Krieg wird ernster.« (Heinrich Heine in einem Brief vom 4. Februar 1830, nach der Platen-Affäre, an Karl August Varnhagen von Ense; HSA 20, S. 385)

Heutzutage gibt es gelegentlich Stimmen sowohl aus medizin- als auch literarhistorischer Sicht – zum Beispiel die Arbeiten von Henner Montanus und Edda Ziegler –, die beim Autor des *Buchs der Lieder* gerade aufgrund seiner Homophobie latente homoerotische Tendenzen für möglich halten und viele ansonsten schwer aufzulösende Fakten seiner privaten Lebensführung mit seiner angeblichen Impotenz erklären.

Solche Thesen über Heines intime Verhältnisse sind angesichts der Dezenz im bürgerlichen Umfeld seiner Zeit schwer zu verifizieren; außerdem ist die sexuelle Ausrichtung nur bedingt von Bedeutung. Dennoch seien diese komplizierten Tiefenstrukturen und ihre möglichen untergründigen Folgen wenigstens erwähnt.

Die Geschichte von Heines wichtigen Freundschaften in der deutschen Zeit mit Sethe über Moser bis zu Christiani und Merckel spräche nicht unbedingt gegen eine solche Vermutung. Dass er sich während des Göttinger Studiums angeblich bei der Köchin des Hofrats Anton Bauer mit der Syphilis angesteckt hatte, allerdings auch nicht. In seinen Briefen und Gesprächen herrscht in der Tat ein gewisses Maulheldentum in Bezug auf weibliche Eroberungen vor; die eigentliche Reihe im Minnedienst der Frauen enthält aber außer den Kusinen Amalie und Therese bezeichnenderweise nur verheiratete junge Damen mit dem Epitheton »schön«: die Sultanin von Lüne, wie er sie nannte, Dorothea Jochmus, Schwester seines Göttinger Kommilitonen August Meyer und zweite Frau des Salinendirektors, weiterhin Friederike Robert, die Schwägerin von Rahel Varnhagen, und schließlich Charlotte Stieglitz während der Potsdamer Zeit, die sich bald darauf in jungen Ehejahren das Leben nahm, angeblich um ihren Mann Heinrich zu literarischen Höchstleistungen anzuspornen. Heines poetische Liebesschwüre während der deutschen Zeit klingen nicht selten platonisch, selbst wenn sie oft genug Tabus brechen. Und selbstverständlich handelt es sich dabei um raffinierte poetischen Rollenspiele.

Die frühe französische Zeit zeigt dann allerdings den üblichen Lebemann von Welt, der die Frauen, die vornehmen wie die Grisetten, genauso wie die Liebesgeschichten liebte und seiner erst spät als Ehefrau legitimierten Mathilde zeitweise sogar leidenschaftlich verfallen war. Und seine letzten Monate in der Krankenstube sind erfüllt von der illusionärsten und verzweifeltsten Liebe zu seiner jungen Vorleserin, die er Mouche nannte. Alles in allem ist es also unwahrscheinlich, dass Heine und Platen sich in dieser sehr persönlichen Hinsicht ausgesprochen ähnlich gewesen sind.

In Düsseldorf war Heine nach ausdrücklichem Bekenntnis »zufällig« (B 2, S. 261) geboren worden. Hamburg nannte er in seiner brisanten Einleitung zu Robert Wesselhöfts Schrift *Kahldorf über den Adel in Briefen an den Grafen M. von Moltke* – wenige Wochen vor seiner Übersiedlung nach Paris – die Stadt seines »zufälligen Aufenthalts« (B 2, S. 948). Die Bedingungen, unter denen er in Deutschland zu schreiben hatte, waren durch Zensur und Verbot nicht die besten. Also lag es nahe, solche Zufälle selbst in die Hand zu nehmen und noch deutlicher zu lenken als bisher, was er durch den halbwegs freiwilligen wie lange und gut überlegten Aufbruch nach Paris endlich bewerkstelligen wollte. In einem frühen Bekenntnisbrief vom 14. Oktober 1826 an Immermann hatte er sich als »armen Subjektivling« (HSA 20, S. 262) charakterisiert. Diesem Subjektivling oblag es jetzt, der Objektivität der Welt in deren damals sichtbarster Gestalt habhaft zu werden, nämlich durch die geistige Eroberung von Paris.

Zufallsorte

Auf der Spitze der Welt: Frühe Paris-Erfahrungen (1831-1836)

Heines Reise nach Paris führte über Frankfurt am Main, wo ihn der jüdische Maler Moritz Oppenheim in einem eindrucksvollen Porträt darstellte, das – wie die dazugehörige Nebenstudie – genau den Übergang zwischen der deutschen und der französischen Zeit bezeichnet. Beide Ölgemälde stellen in der Tat den modernen Grenzgänger dar, der zwar schon viel erreicht hat, seinem bisherigen Schaffen in Paris aber die Krone aufsetzen will. Über Heidelberg, Karlsruhe, Straßburg und Nancy näherte er sich seinem Ziel. Am 19. Mai 1831 kam er in Paris an, und gleich am 21. Mai besichtigte er in der Bibliothèque Royale »den Manessischen Kodex der Minnesänger«, unter anderem mit den Gedichten Walthers von der Vogelweide, »des größten deutschen Lyrikers« (B 4, S. 99); er habe damit konstatieren wollen, so Heine in *Ludwig Börne. Eine Denkschrift*, dass er eben nicht zuerst zu den Plätzen der Französischen Revolution gepilgert sei. Der Abschied von der Heimat bestand gerade in der Verbeugung vor der frühen deutschen Literatur, deren Ikone seit langem in seinem Gast-

Manessische Handschrift

Les moissonneurs dans les marais pontins (Ankunft der Schnitter in den Pontinischen Sümpfen). Stahlstich von Paolo Mercuri, 1831, nach dem Gemälde von Léopold Robert, Rom 1830

land aufbewahrt wurde und erst 1888 wieder nach Heidelberg gelangte. Wie sehr Heine auf ein friedliches Geben und Nehmen zwischen den beiden Kulturen aus war, zeigte sich darin, dass er sich nach dieser Episode umgehend Frankreichs Geschichte, Kultur und Volksleben widmete.

Die jährliche Gemäldeausstellung im Louvre, der sogenannte Salon, der 1831 beispielsweise mit dem grandiosen Bild von Eugène Delacroix *Die Freiheit führt das Volk an* aufwartete, überwältigte auch ihn. Die »Apotheose des Lebens« aber, ein »gemaltes Evangelium« (B 3, S. 54), das ganz seiner damaligen Auffassung und Erfahrung entsprach, war für ihn Léopold Roberts Gemälde *Ankunft der Schnitter in den Pontinischen Sümpfen.* Zwar betonte er im Anschluss an diese Eloge auf das italienische Lebensglück die Dürftigkeit des zu erwartenden Stahlstiches, aber ohne ein solches Blatt wollte er später in seinem Krankenzimmer trotzdem nicht sein. Sein Bericht über diese Ausstellung, *Französische Maler*, bildete gleich den Auftakt zu einer auf mehrdeutige Weise ebenfalls *Salon* genannten Sammlung seiner neuen Arbeiten mit französischen, aber auch deutschen Themen in vier Bänden (1834-1840). Diese ähneln den *Reisebildern* aus der deutschen Zeit. In der neuen Umgebung werden Musik- und Theaterleben von Heine

Vgl. *Französische Maler*, S. 105f.

gleichfalls genossen, jedoch mit Distanz und Ironie seziert. Aber auch die politischen, sprich *Französischen Zustände* (erschienen 1833) werden von Anfang an mit wachem Blick und passender Darstellungsgabe wahrgenommen. Während die Berichte über die Gemäldeausstellung vor der Buchfassung zuerst im *Morgenblatt für gebildete Stände* erschienen, brachte die ebenfalls Cotta gehörende, außerordentlich bedeutsame Augsburger *Allgemeine Zeitung* die Artikel mit den *Französischen Zuständen*, bevor sie einen eigenen Band ergaben.

Vgl. *Französische Zustände*, S. 103 f.

Ohne die rasch angeknüpften Beziehungen zu französischen Zeitschriften und Verlagen, bei denen Heine seine in Deutschland gewonnenen publizistischen Erfahrungen zugute kamen, wäre es ihm nicht möglich gewesen, sich so rasch und erfolgreich zu integrieren. Er nahm an den Zusammenkünften der Saint-Simonisten teil, deren Zeitschrift *Le Globe* es ihm auf Rahel Varnhagens Vermittlung bereits am Ende seiner deutschen Periode angetan hatte; das Blatt meldete sogar die Ankunft des jungen deutschen Autors in Paris. Mit den führenden Mitgliedern wie Prosper Enfantin und Michel Chevalier freundete er sich an. Diese soziale Bewegung mit ihren religiös frühchristlichen Strukturen wurde allerdings bald darauf verboten. Heines Mitarbeit galt aber gezielt den literarischen Zeitschriften, vor allem der *Revue des deux Mondes*, der er sein Leben lang die Treue hielt, und der *Europe littéraire*. François Buloz, Herausgeber der *Revue*, und Victor Bohain, Begründer der *Europe littéraire*, wussten ihn zu gewinnen und umgekehrt. Jedoch auch der gewissermaßen offizielle Verleger der französischen Romantik, Eugène Renduel, bot ihm bald die Möglichkeit, seine Schriften in einer französischen Ausgabe erscheinen zu lassen: Im Juni 1833 wurde als

Die Saint-Simonisten

> »Hier freylich ertrinke ich im Strudel der Begebenheiten, der Tageswellen, der brausenden Revoluzion; – obendrein bestehe ich jetzt ganz aus Phosphor, und während ich in einem wilden Menschenmeere ertrinke – verbrenne ich auch durch meine eigne Natur.« (Heinrich Heine in einem Brief vom 27. Juni 1831 aus Paris an Karl August Varnhagen von Ense; HSA 21, S. 21)

Auftakt seines französischen Œuvres sein Buch *De la France* veröffentlicht, das seitdem das Gegenstück zu seinen deutschen Schriften bildete. Dabei war dem Dichter von Beginn an bewusst, dass sich seine deutschen Gedichte gegen eine Übersetzung ins Französische eher sperrten. Noch Anfang Juli 1855 bekannte Heine dem befreundeten französischen Historiker und Staatsmann François Pierre Guillaume Guizot, dieser werde erstaunt sein, wie sehr er doch auf dem Gebiet der Poesie Deutscher sei, während er in seinem Denken und Leben beinahe einen Franzosen darstelle.

Deutsch-französisches Vermitteln

Die Voraussetzung für eine Vermittlertätigkeit zwischen den beiden Nachbarkulturen war also die beste; Deutschland wollte er den Franzosen, Frankreich den deutschen Landsleuten nahe bringen. Die Übersetzungen seiner Werke ins Französische belegen das Interesse seiner neuen Freunde und eine enorme Wirkung eines deutschen Autors in Paris, die ihresgleichen suchte. Er hatte sich vorgenommen, mit modernem Blick einer einseitigen, seiner Meinung nach der wolkigsten Romantik verpflichteten Sichtweise auf Deutschland entgegenzutreten, wie sie im Werk *De l'Allemagne* aus dem Jahre 1810 von Germaine de Staël, der großen Gegnerin Napoleons, zu finden war.

Heine war der Pariser Faszination von Anfang an, seit seinem Einzug durch die Porte St. Denis, erlegen. In der geschichtsträchtigen und für damalige Verhältnisse riesigen Weltstadt von etwa 800 000 Einwohnern fühlte er sich gleich in seinem Element oder, wie er es seinem Freund, dem Komponisten Ferdinand Hiller, für andere deutsche Freunde mit auf den Weg gab, nicht nur wie ein Fisch im Wasser, sondern die Fische selber gäben bei Befragung nach ihrem Zustand die Auskunft, sie befänden sich wie Heine in Paris. Eine göttliche Laune hatte ihn damals ergriffen und brachte, wie er in den *Französischen Zuständen* schrieb, das alte Sprichwort in Erinnerung: »Wenn der liebe Gott sich im Himmel langweilt, dann öffnet er das Fenster und betrachtet die Boulevards von Paris.« (B 3, S. 152)

Die Hauptstadt Frankreichs umfasste die größte Menschenansammlung in Europa und wuchs dabei rasant; 1856, in Heines Todesjahr, zählte sie bereits 1175000 Seelen. In ihr fielen die deutschen Krankheiten und Leiden von Heine ab. Die deutsche Kleinteiligkeit wie Kleinstaaterei zeigte sich vor dem Hintergrund des Mittelpunkts der großen Nation in manchem plötzlich unbedeutend. Zugleich erwuchs aus dem Gegensatz aber auch eine rührende Heimatliebe. Deutschen Emigranten begegnete Heine übrigens auf Schritt und Tritt; denn nicht nur die deutsche Intelligenz hatte sich zeitweise von zu Hause verabschieden müssen, auch ganze Schwärme von deutschen Handwerkern fühlten sich in der französischen Hauptstadt sehr viel besser aufgehoben. Neben Zürich, Brüssel und London bildete Paris das größte Sammelbecken für emigrierte Deutsche, ein Faktum, das kein Ruhmesblatt für die deutschen Verhältnisse darstellte. Die Restaurationsepoche, wozu natürlich auch die Ära Metternichs in Wien zählte, hinkte den Pariser Lebensmöglichkeiten weit hinterher, wo nach der Julirevolution von 1830 der sogenannte Bürgerkönig Louis-Philippe regierte.

Paris bedeutete für Heine »die Spitze der Welt« (HSA 21, S. 20), das Herdfeuer oder Foyer Europas, an dem sich die moderne Zeit zu wärmen hatte und von wo aus die anregenden Funken zu den Nachbarn übersprangen. Schon seine Ankunft wurde, wie gesagt, im Gastland wahrgenommen. Er besaß trotz seiner erst 33 Jahre also von vornherein Vorschusslorbeeren, die es auszunützen galt. Obendrein war er in der großen neuen Welt doch nicht ganz allein und konnte fürs Erste beispielsweise Kontakt halten zu in Paris wohnenden Familien wie den Valentins und Leos, die mit den Embdens verwandt waren. Seine in Deutschland erprobte Mobilität kam ihm in Paris zugute: Allein 15 Wohnadressen weist die Pariser Zeit auf, oft in der preiswerteren Peripherie, intensiv im Stadtteil Montmartre, wo er sein liebstes Leben gelebt habe, wie er in einem Testament sagt, zuletzt dann in der Nähe der Champs Elysées.

Für einen Parisaufenthalt lohnt sich immer ein Blick auf die Liste seiner Adressen und ein Gang zu seinem Grab auf dem Friedhof Montmartre, denn jener Atmosphäre, die Heine bezaubert und eingenommen hat, vermag man auch heute gele-

Heines Visitenkarte mit der Adresse Faubourg Poissonnière, wo er zwischen 1841 und 1846 wohnte

gentlich in Paris auf die Spur zu kommen. Hier seien die Anschriften, die im Großen und Ganzen den historischen Bogen zu schlagen wissen, eingeblendet: 54, rue Vaugirard; 38, rue de l'Echiquier; 4, rue des Petits Augustins; 22, rue Traversière; 3, Cité Bergère; 18, rue Cadet; 23, rue des Martyrs; 25, rue Bleu; zuerst 46, dann 41, Faubourg Poissonière; 21, rue de la Victoire; 9, rue de Berlin; 50, rue d'Amsterdam; 51, grande rue aux Batignolles und 3, avenue Matignon.

Pariser Kulturleben

Die Pariser Gesellschaft nahm ihn rasch mit offenen Armen auf. Das Verzeichnis der neu gewonnenen französischen Freundinnen und Freunde, genauso auch die Liste deutscher Berühmtheiten, die ihm in Paris zum ersten Mal oder erneut begegneten, füllen ein kleines Lexikon des Pariser Kulturlebens in der ersten Hälfte des 19. Jahrhunderts. Da zeigt sich, dass er mit seiner deutschen Reputation zwar nicht von schlechten Eltern, alles Bisherige jedoch nur ein harmloses Vorspiel gewesen war. Der Komponist Hector Berlioz sowie dessen Kollegen Luigi Cherubini, Frédéric Chopin, Franz Liszt, Felix Mendelssohn Bartholdy und Giacomo Meyerbeer gehörten zu seinem Umgang und vermittelten ihm Erfahrungen aus erster Hand, denn dass er bis dahin in Kunst und Musik auf der Höhe gewesen wäre, konnte er nicht gerade für sich beanspruchen. Sein Blick wusste aber gleich den dazugehörenden Betrieb und frappierende Fragen der Wirkung zu erfassen und zu analysieren.

> »Es will mir scheinen, Madame, als hätten Sie mich neulich gebeten, Ihnen unseren berühmten Landsmann Heine zuzuführen und vorzustellen. Er ist einer der ausgezeichnetsten Geister Deutschlands, und wenn ich nicht fürchtete, ihm mit dem Vergleich Unrecht zu tun, würde ich ihn dreimal hintereinander mit dem hinlänglich bekannten Beiwort ›außerordentlich‹ versehen. Gestatten Sie mir nach dieser Einführung, ihn Dienstag in acht Tagen mitzubringen?« (Franz Liszt in einem Brief vom Frühjahr 1833 an Marie d'Agoult; zit. n. Werner 1, S. 270)

Auch der Naturforscher Alexander von Humboldt, den er bereits aus Berlin kannte, hielt sich in Paris auf, und natürlich Ludwig Börne, der sich über die eindeutig erotische Lebensgier seines unbekümmerten Landsmannes in Briefen an seine Freundin Jeanette Wohl mokierte. Er renne Tag und Nacht den gemeinsten Straßendirnen nach, interessiere sich gar für ihre neue Garderobe. Dabei hatte bislang eher Heines Bruder Gustav als der Draufgänger der Familie gegolten, der die Hamburger Huren gegeneinander aufbrachte. Trotz dieser Ablenkungen blieb dem deutschen Autor in Paris aber noch genügend Zeit für seinen Beruf, der offenbar des alltäglichen Bodensatzes bedurfte. Franz Grillparzer, der introvertierte Dichter aus Wien, fand im Blick auf seinen Kollegen einige Zeit später besonders notierenswert, dass er bei einem Besuch in dessen Wohnung gleich zwei junge Frauen antraf. Heines Gedichtzyklus »Verschiedene« schildert die neue, aus dem früheren stereotypen Schönheitskult herausgelöste, zwar immer noch faszinierende, dennoch auch desillusionierte Liebe zur Zeit des herrschenden Juste milieu ganz offen. Kein Wunder, dass solche Gedichte die deutsche, an brave Verhältnisse gewöhnte Leserschicht durch ihre großstädtische Abgründigkeit schockierten. Heine hatte sich zweifellos gewandelt. Er erlebte in Paris das Märchen seines Lebens. Insofern hätte er seinem berühmten dänischen Zeitgenossen Hans Christian Andersen, den er damals in Paris kennen lernte, für manche problematischen Naturen mit ihren Belastungen und Entwicklungen gewissermaßen sogar Modell stehen können. Aus einem hypochondrischen deutschen Entlein vom Rhein war der ansehnlichste europäische Schwan auf der Seine geworden.

Vgl. *Neue Gedichte*, S. 79ff.

Gerade die französische Kollegenschaft nahm den deutschen Schriftsteller begeistert auf. Honoré de Balzac und Alexandre Dumas, Victor Hugo und Gérard de Nerval gehörten zu seinem Freundeskreis, zu seinen Vermittlern oder Übersetzern. Die Baronin Dudevant, als Autorin unter dem männlichen Namen George Sand bekannt, zeitweise Freundin von Alfred de Musset und Lebensgefährtin von Chopin, zelebrierte mit ihm das Spiel von Cousin und Cousine. Die italienische Emigrantin Cristina Prinzessin Belgiojoso ließ sich von ihm verehren. Auch Liszts Freundin, die Gräfin Marie d'Agoult, öffnete ihm ihren Kreis. Wie selbstverständlich durfte er auf das Bankhaus Rothschild in Paris zählen, vor allem auf die von ihm verehrte Baronin Betty de Rothschild, die einige Jahre jünger war als er. Gelegentlich konnte er deutschen Besuchern von Geschmack, wie Heinrich Laube, die Zelebritäten vorführen; George Sand kam sich dabei dann auch ausdrücklich wie ein Ausstellungsstück vor.

»Wenn ich Heine wiedersehe, werde ich ihn schelten, mich einer personifizierten Anhäufung von Hohlheiten vorgestellt und mich wie einen Zirkushund vor das Opernglas eines Herrn geführt zu haben, der nur klingende Münze aus mir schlagen will. Das ist Verrat! Hätte mein lieber Cousin die Absichten seines Kameraden gekannt, so hätte er sich sicherlich nicht zu dieser Zurschaustellung meiner Person bereitgefunden.« (George Sand in einem Brief vom April (?) 1836 an Helmina von Chézy; zit. n. Werner 1, S. 323)

Dass schließlich aus einem wenn auch auf längere Zeit berechneten Besuch in Paris mit seinen Ingredienzien aus Erfahrung und Austausch ein Exil wurde, dass sich aus einer überschaubaren Frist ein ganzes Vierteljahrhundert ergab, war nicht von Anfang an geplant. Das erfolgte einerseits aus den deutschen politischen Verhältnissen und war andererseits der persönlichen Lage eines bald ganz assimilierten deutsch-französischen Autors geschuldet. Denn obendrein hatte ihm im Oktober 1834 ein junges, einfaches, höchst natürliches Mädchen mit dem Geburtsnamen Augustine Crescence Mirat

Mathilde

(1815-1883), uneheliches Kind vom Lande und Schuhverkäuferin mitten in der Stadt, den Kopf verdreht. Heine gab seiner Freundin und späteren Frau den Vornamen Mathilde. Wenn man bedenkt, dass in Novalis' Roman *Heinrich von Ofterdingen* die geliebte Frau Mathilde heißt und der romantische Weg beschworen wird, der immer nach Hause führt, so sieht man, welch anspielungsreicher Kopf unser Dichter ist, der vor keinerlei Literarisierung seines Lebens zurückscheut.

Paris war zwar der Mittelpunkt und Frankreich selbst, wie es in den *Französischen Zuständen* heißt, »nur die umliegende Gegend von Paris« sowie »ganz öde« (B 3, S. 133), aber Heines Aufenthalt in der Hauptstadt ermöglichte ihm eine jahrelange, geradezu sternförmige Erschließung des Landes. Er hatte halb Europa bereist und wollte selbstverständlich seine neue Heimat ebenfalls kennen lernen. Natürlich bevorzugte er zum Auftakt die See bei Boulogne-sur-mer, wohin er gleich im August 1831 ging. Im Juli des folgenden Jahres reiste er in die Normandie, nach Le Havre, Dieppe, Eu und Rouen. Von Ende August bis Mitte Oktober 1833 war er wiederum in Boulogne-sur-mer, das er auch im Sommer des folgenden Jahres aufsuchte, bevor sich Dieppe anschloss. Mitte Juni 1835 war er für einige Wochen Gast der Prinzessin Belgiojoso in Jonchère. Ende Juli ging er von Paris aus erneut nach Boulogne-sur-mer, von wo aus er erst kurz vor Weihnachten nach Paris zurückkehrte. Gerade die Länge der Abwesenheiten von Paris sollte zu denken geben und als Indiz dafür gelten, dass Heine sich wirklich in Frankreich aufhielt und nicht einzig und allein Paris als das Maß aller Dinge betrachtete. Ohne seine Sommerreisen darf man sich jedenfalls die französische Zeit nicht vorstellen, die ihm selbst dann zu einseitig und abgehoben gewesen wäre. Zu der Exzentrik von Paris gehörte immer die Normalität des übrigen Frankreichs, neben der vornehmen Welt in Paris nahm er besonders durch Mathilde dann auch das einfache großstädtische Leben wahr.

Mathilde Heine (1815-1883)

»Ließ mich nicht naturalisieren aus Furcht, daß ich alsdann Frankreich weniger lieben würde, wie man für seine Mätresse erkühlt, sobald man bei der Mairie ihr legal angetraut – werde mit Frankreich in wilder Ehe fortleben –« (Heinrich Heine, *Aufzeichnungen*; B 6/I, S. 630)

1835 bezeichnete ein düsteres Jahr für die Historie der Meinungsfreiheit, in dem die Zensur endgültig installiert zu werden schien. Das Verbot des Jungen Deutschland durch den deutschen Bundestag vom 10. Dezember, der politische Schlag gegen eine progressive literarische Vereinigung, als deren Wortführer Heinrich Heine galt, betraf die bereits erschienenen und zukünftigen Schriften dieser Gruppe. Zu ihr zählten außerdem Karl Gutzkow, Heinrich Laube, Theodor Mundt und Ludolf Wienbarg, sämtlich jünger als ihr Pariser Meister. Nur mit Laube, dem Redakteur der Leipziger *Zeitung für die elegante Welt* und späteren langjährigen Direktor des Wiener Burgtheaters, verband Heine eine Freundschaft, auch wenn später ihre unterschiedliche Beurteilung der Revolution von 1848 und des damit einhergehenden neuen Frankfurter Parlaments die gute Beziehung ein wenig trübte. Wienbarg war Heine noch aus der Hamburger Zeit ein angenehmer Kollege, das Verhältnis zu Mundt war distanziert, und mit Gutzkow gab es schließlich merkliche Probleme. Gerade dessen Roman *Wally, die Zweiflerin* von 1835 hatte die Aufmerksamkeit auf das Junge Deutschland gelenkt. Nachdem der damals maßgebliche Literaturkritiker Wolfgang Menzel ein harsches Veto gegen das Buch eingelegt hatte, weil Thron und Altar, Ehe und bürgerliche Ordnung unterminiert zu werden schienen, wurde staatlicherseits hart durchgegriffen. Auch wenn Heine gegenüber seinem Hamburger Verleger Campe anfangs von der ganzen Angelegenheit wenig befürchtete und von »viel Geschrey und wenig Wolle« sprach (HSA 21, S. 132), war sein Wohl und Wehe betroffen. In einem offenen Brief an die Bundesversammlung vom 28. Januar 1836 nahm er die Verbotsmaßnahmen auf subtile, dennoch deutliche Weise ins Visier: »Sobald mir das freie Wort vergönnt ist, hoffe ich bündigst zu erweisen, daß meine Schriften nicht aus irreligiöser und immoralischer Laune, sondern aus einer wahrhaft religiösen und moralischen Synthese hervorgegangen sind […].« (HSA 21, S. 135)

Verbot des Jungen Deutschland

Poesie und Konterbande (1836-1843)

Was als freiwilliger Aufenthalt in Paris begonnen hatte, wurde zum bleibenden Exil. An der künstlerischen Autonomie dennoch festhalten, so hieß das Gebot der Stunde. Die literarische Freiheit gegen jede Form spießbürgerlicher Erwartung zu verteidigen, das hatte Heine stets als seine Aufgabe betrachtet. Hierüber wollte er beispielsweise mit einem neidischen Gutzkow, der eine Zeit lang bei Campe als Redakteur auf das Verlagsprogramm Einfluss nehmen konnte, eigentlich nicht diskutieren müssen. Mit großem Gestus verteidigte er deshalb in einem Brief vom 23. August 1838 an den Kollegen seine als Nachtrag zum *Buch der Lieder* geplanten neuen Gedichte mit dem Zyklentitel »Verschiedene«: »Nicht die Moralbedürfnisse irgend eines verheuratheten Bürgers in einem Winkel Deutschlands, sondern die Autonomie der Kunst kommt hier in Frage. Mein Wahlspruch bleibt: Kunst ist der Zweck der Kunst, wie Liebe der Zweck der Liebe, und gar das Leben selbst der Zweck des Lebens ist.« (HSA 21, S. 292) Jedoch die deutschen Verhältnisse waren beengter, als er sich das inzwischen vorstellen konnte, und Spitzel der deutschen Regierungen gab es auch in Paris. Selbstverständlich wurde Heine observiert, sein Privatleben ausgespäht, aber angesichts seiner inzwischen gewonnenen Berühmtheit fand er diese lästigen Vorgänge sicher nicht überraschend. Die deutschen Lesekabinette in Paris, in denen die Zeitschriften aus der Heimat kursierten, blieben ihm trotz einiger zwielichtiger Gestalten lieb und teuer.

> »[...] Heine ist nun gegen Preußen aufs fürchterlichste aufgebracht und will alles aufbieten, um sich zu rächen. Sein Plan ist, aufeinanderfolgend Broschüren gegen Preußen drucken zu lassen und sie in Deutschland zu verbreiten [...].« (Aus einem anonymen Geheimbericht vom Herbst 1833 aus Paris an die preußische Regierung; zit. n. Werner 1, S. 279)

Im Anschluss an das Bundestagsverbot war doch viel zu bedenken und zu beachten, musste Heine seine Schreibstrategie trotz der bereits vorhandenen Schere im Kopf ein weiteres

Mal ändern. Wichtige Botschaften galt es als Konterbande in die Köpfe der Leser zu schmuggeln, die Begabung, mit scheinbar harmlosem fiktionalen Erzählen aktuelles Weltgeschehen zu kommentieren, musste aktiviert werden. Nach dieser Strategie veröffentlichte er die *Florentinischen Nächte* Vgl. S. 108 u. 110 im dritten Band des *Salon* von 1837 gemeinsam mit den *Elementargeistern*, publizierte im selben Jahr die Einleitung zum *Don Quixote* im Stuttgarter Verlag der Klassiker und ließ 1838 seine Studie *Shakespeares Mädchen und Frauen* mit dem Erscheinungsjahr 1839 bei Delloye in Paris folgen. Als besonders Vgl. *Der Rabbi von Bacherach*, S. 108f. wichtig darf aber sein Erzählfragment *Der Rabbi von Bacherach* aus dem Anfang November 1840 erschienenen vierten Band des *Salon* angesehen werden. Gerade dieser Text zeigt Heines Ökonomie der Verwertung älterer Arbeiten wie seiner Manuskriptverwaltung; immerhin stammten die ersten Teile aus der deutschen Zeit, noch bevor Heine sich taufen ließ, und wurden jetzt als direkte Reaktion auf ein Judenpogrom in Damaskus erweitert und bewusst publiziert. Das Romanfragment bildet somit den poetischen Kommentar zum Weltgeschehen, wodurch der Autor selbst sich in aller Deutlichkeit zu der über die Erde verstreuten Judengemeinde und ihren Leiden bekennt. Während der ersten Pariser Jahre war die Zeit für ein solches persönliches Bekenntnis aufgrund seiner eigenen Zurückhaltung noch nicht reif gewesen. In religiöser Hinsicht war Heine nun einmal ein Kind von Aufklärung und Säkularisation, deren Folgen er besser begriff und vorausahnte als andere. Weit vor Friedrich Nietzsche hatte er übrigens in dieser Phase seines deutsch-französischen Austausches bereits den Tod Gottes verkündigt, dessen vor allem nächtlicher Allgegenwart er am Schluss seines Lebens denn doch wieder bedurfte.

Im politischen Bereich wurde nicht alles so heiß gegessen, wie es gekocht war. Die deutschen Zensurbestimmungen lockerten sich allmählich, und Heine konnte zu Themen und Stil der früheren Jahre zurückkehren. Seine Wendigkeit und sein Witz waren durch die äußeren Übergriffe oft genug sogar noch gestärkt worden. Überhaupt hatte er sich zu einem

Flaneur in Paris

interessierten und interessanten Flaneur gemausert. So hätte ihn sein Nachfahre in verschiedenerlei Hinsicht, Walter Benjamin, der mit Heine tatsächlich entfernt verwandt war, ein Jahrhundert später charakterisieren können. Paris hat er auf jede Weise wahrgenommen, ja aufgesogen. Gerade im Kontrast dazu sah er die religiösen, philosophischen, literarischen und mythologischen Formen der deutschen Kultur als Phänomene, die er seinen deutschen und französischen Lesern unbedingt mitteilen musste. Diese heimatlichen und vertrauten Gefilde erschloss er auf poetische, allerdings in bester Prosa daherkommende Weise.

Schon Anfang der 1830er Jahre hatte er die deutsche Literatur ins Visier genommen und sie für die französischen, aber auch die deutschen Leser systematisch darzustellen versucht. Mit ähnlich ordnender und dennoch lockerer Hand ging er in seiner Schrift *Zur Geschichte der Religion und Philosophie in Deutschland* vor, die im zweiten Band des *Salon* von 1835 erschien. Zwischen den Zeilen scheint der jüdische Philosoph Baruch Spinoza aus Amsterdam hervorzublicken, mit dem Heine über Generationen hinweg Gemeinsamkeiten empfand. Aus der Literaturgeschichte machte er 1836 ein eigenes Büchlein mit dem Titel *Die romantische Schule*, das ihm obendrein Gelegenheit bot, eine persönliche Standortbestimmung vorzulegen: »Künstler, Tribune und Apostel« wollten die neuen Schriftsteller sein. Sie machten keinen Unterschied »zwischen Leben und Schreiben« und trennten nicht mehr die Politik »von Wissenschaft, Kunst und Religion« (B 3, S. 468). Wie bei Jean Paul bestimmen die Kategorien von Ganzheit und Herz die jungdeutschen Bestrebungen. Der neue Messias steht dabei auf den Schultern von Martin Luther und Gotthold Ephraim Lessing, und Heine selbst ist in dieser Projektion einer durch die Literatur befreiten Zukunft als Heiland und Retter zu erkennen. Wer unter seinen besonderen Voraussetzungen möglicherweise hätte Papst werden können, durfte auch Ambitionen auf dieses noch höhere Amt haben!

Schriften über Deutschland, **vgl. S. 109 ff.**

Die jährlichen ausgedehnten Reisen durch Frankreich während der Sommermonate wurden beibehalten. Im Juli und August 1838, als Heine ein Augenleiden zu schaffen machte, besuchte er in Rocquencourt den Familiensitz der jungen Cécile Furtado (über ihre Mutter mit der angesehenen Pariser Bankiersfamilie Fould verwandt), die durch seine Vermittlung am 2. Oktober des Jahres seinen Hamburger Vetter Carl heiratete. Nachdem er zuvor noch einen knappen Monat in Granville verbracht und einen Abstecher zum Mont Saint-Michel gemacht hatte, war er rechtzeitig zu diesem Familienfest wieder in Paris, wo er die Hamburger Abordnung sah: seinen für ihn nach wie vor – nicht nur in finanzieller Hinsicht – wichtigen Onkel Salomon und die Lüneburger Kusine Charlotte Christiani.

Schon vor diesem Herbst hatten komplizierte Zensurverhältnisse beispielsweise einen Sonderdruck der Vorrede zum dritten Teil des *Salon* zur Folge gehabt, der 1837 bei Hoffmann und Campe erschien und den kämpferischen Titel *Über den Denunzianten* trägt. Es handelt sich um eine Abrechnung mit Heines ehemaligem Freund und nunmehrigen Gegner, dem damaligen Literaturpapst Wolfgang Menzel, den er in seiner Empörung über das Verbot des Jungen Deutschland kurzerhand als »Memme« (B 5, S. 36) titulierte. Mit dieser Personalsatire sollten jene Kräfte getroffen werden, die zur Verbiegung der Literaturkritik beigetragen hatten. Heines Stil ist glänzend und ohne Umschweife. Seiner zornigen Wahrhaftigkeit würde der Betroffene heute wahrscheinlich mit einer Beleidigungsklage entgegentreten.

Vgl. *Ludwig Börne*, S. 111 f.

Sein Hauptwerk dieser Zeit, *Ludwig Börne. Eine Denkschrift*, dem es nun wahrlich genauso wenig an Glanz und Deutlichkeit mangelte und das zum Beispiel Thomas Mann später hinreißend fand, widmete er seinem Kontrahenten, der 1837

> »Ihr habt vielleicht einen Begriff vom leiblichen Exil, jedoch vom geistigen Exil kann nur ein deutscher Dichter sich eine Vorstellung machen, der sich gezwungen sähe, den ganzen Tag französisch zu sprechen, zu schreiben, und sogar des Nachts, am Herzen der Geliebten französisch zu seufzen! Auch meine Gedanken sind exiliert, exiliert in eine fremde Sprache.« (Heinrich Heine, *Ludwig Börne*; B 4, S. 124)

mit 51 Jahren gestorben war. Es handelt sich um eine Selbst- wie Fremdbeschreibung zugleich, ein Werk im und über das Exil, dessen Schattenseiten bei allem Pariser Glanz nicht übersehen werden dürfen. Das Idol der deutschen republikanischen Idee, der Schriftsteller Ludwig Börne, steht gegen den demokratischen Kandidaten mit seinem angeblichen politischen Zickzackkurs, gegen den ganz den ästhetischen Bedürfnissen hingegebenen Dichter Heinrich Heine. Die Schrift war Heines späte Antwort auf Börnes Vorwurf, er habe die Ziele der Revolution verraten. Allerdings ist der Sachverhalt von der Literaturgeschichte vielleicht doch zu sehr durch die heinesche Brille betrachtet worden. Die in diesem Text enthaltenen persönlichen Angriffe auf Börnes Freundin Jeanette Wohl jedenfalls, die mit Salomon Strauß verheiratet war, stellten deren Privatleben bloß und führten zu einer öffentlich ausgetragenen Ohrfeigen- und Duellgeschichte. Der beleidigte Ehemann schlug Heine angeblich in der rue St. Marc ins Gesicht, ging dann mit seiner Tat hausieren und wurde auf Satisfaktion gefordert.

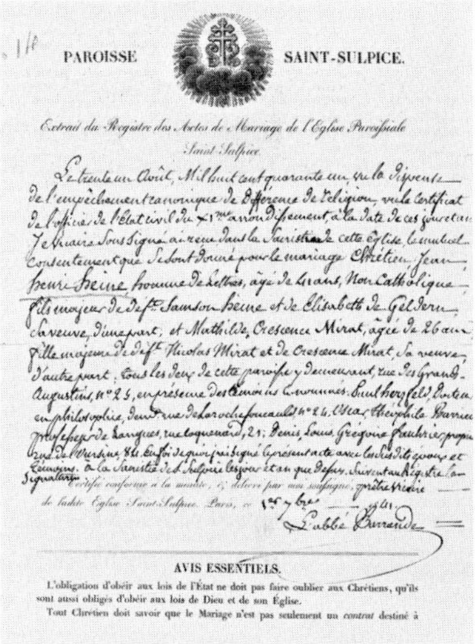
PAROISSE SAINT-SULPICE.

Extrait du Registre des Actes de Mariage de l'Église Paroissiale Saint-Sulpice.

… Henri Heine … Mathilde, Crescence Mirat … Nicolas Mirat et de Crescence Mirat …

Certifié conforme à la minute, et délivré par nous soussigné, … de ladite Église Saint-Sulpice. Paris, ce … 1841.

L'abbé …

AVIS ESSENTIELS.

L'obligation d'obéir aux lois de l'État ne doit pas faire oublier aux Chrétiens, qu'ils sont aussi obligés d'obéir aux lois de Dieu et de son Église.

Tout Chrétien doit savoir que le Mariage n'est pas seulement un *contrat* destiné à

Beglaubigter Auszug aus dem Heiratsregister von St. Sulpice über die Eheschließung von Jean Henri Heine und Mathilde Crescence Mirat

Aus Gründen der Fürsorge, um ihre Zukunft in aller Form auch materiell abzusichern, heiratete Heine noch vor dem Duell, am 31. August 1841, seine langjährige Lebensgefährtin Mathilde in deren Lieblingskirche St. Sulpice nach katholischem Ritus inklusive dem nach dem Kirchenrecht erforderlichen Revers über die katholische Erziehung etwaiger Nachkommen. Am Tag darauf folgte die standesamtliche Trauung. Heine blieb in dieser »Ehe zweier Kinder«, wie in der erfolgreichen Heine-Monographie von Ludwig Marcuse (1960) das Verhältnis der beiden nicht ohne Grund charakterisiert wurde, kinderlos. Woher sollten Kinder kommen, wenn die Betten nicht nebeneinander stünden, spottete Heine 1844 in gewohnt offenem familiären Umgangston in einem Brief an seine Schwester Charlotte. Alle bereits angesprochenen Spekulationen über seine Sexualität mögen verborgene Rätsel andeuten, führen jedoch zu nichts. Das Duell am 7. September 1841 ging jedenfalls halbwegs gut aus; Heine wurde lediglich durch einen Streifschuss an der Hüfte verletzt.

War dann die eigens inszenierte Ehe wenigstens glücklich? Gute Ehen müsse man angesichts der französischen Hauptstadt in Spiritus legen, schrieb Heine 1843 an seine Mutter. Es war ein Auf und Ab. Was er mit dem Hamburger Verleger Campe erlebte, wiederholte sich im ehelichen Privatleben. Offenbar hatten der Autor und die lebenslustige Mathilde sich trotz größter Unterschiede und mancher Querelen aneinander gewöhnt. Er war eifersüchtig und sie von einem anderen Stern, der nicht unbedingt immer als strahlend zu bezeichnen war. Seine deutschen Bücher konnte sie nicht lesen, geschweige denn verstehen, aber ihre Zuneigung ohne jegliche Kenntnis seiner literarischen Bedeutung bildete offenbar für ihn den besonderen Reiz einer voraussetzungslosen Liebe. Ihre Ausbildung verdankte sie ihm, ihren gesamten Unterhalt natürlich auch. Er soll ihrer Familie am Anfang sogar einen beträchtlichen Obolus für die junge Frau gegeben haben. Sie war zu Beginn lustig und schön, wenn auch nicht immer leicht zu behandeln, später äußerst korpulent und launisch. Karl Marx, der angesichts der eigenen Lebensführung nicht gerade berechtigt war, den ersten Stein zu werfen, unterstellte ihr in einem Brief an Friedrich Engels zum Schluss ein Verhältnis mit dem Rechtsanwalt des Ehepaars Heine, Henri Julia. Jedenfalls blieb sie auch in den langen Jahren der Matratzengruft an der Seite ihres Mannes. Sie war zum Teil gewiss sein Engel und andererseits sein lästiges, wenn auch süßes, »dickes Kind« (B 6/I, S. 113 u. 115 f.). In seinem berühmten Zeitgedicht mit dem Titel »Nachtgedanken«, geschrieben kurz vor seiner ersten Hamburg-Reise von 1843, beschwört er in schlaflosen Nächten das ferne Deutschland, wo seine alte Mutter wohnt. Sie hat ihn behext wie die Zauberin Loreley, und er möchte sie gerne vor ihrem Tod noch einmal wiedersehen. Aber die morgendliche Erscheinung seiner schönen Frau und ihr Lächeln mitsamt dem französischen »Tageslicht« erlösen ihn von den »deutschen Sorgen« (B 4, S. 433), von Not und Dunkelheit. Das ist ein weltliterarisches Kompliment, das auch nicht durch noch so gewaltige Abstriche, die insgesamt sicherlich gemacht werden müssen, aufzuheben ist.

Neben diesen deutschen Sorgen hatte Heine nach über einem Jahrzehnt der Abwesenheit von Hamburg obendrein einen weiteren realen Grund, der neben dem schlechten Gesundheitszustand von Salomon Heine für den sich herauskristallisierenden Plan einer Deutschland-Reise keine geringe Rolle gespielt haben dürfte. Im Mai 1842 hatte ein Großbrand enorme Verwüstungen in Hamburg, seiner altvertrauten, »schiefwinklichten« und »schlabbrigen« Heimat (B 5, S. 165), angerichtet, wie es in seinem Nachruf auf das Hamburg seiner Jugenderinnerungen heißt. Seine Mutter und die Familie seiner Schwester waren zwar persönlich nicht zu Schaden gekommen, aber immerhin hatte Salomon Heine sein Stadthaus am Jungfernstieg zur Sprengung freigegeben, um das Flammenmeer aufzuhalten. Er war auch mit seinem Privatvermögen eingesprungen, um einer unverantwortlichen Teuerung für die Bürgerschaft entgegenzuwirken. Ein jüdischer Bankier als Retter in der Not! Es wurde Salomon gedankt, aber ohne Zweifel nur bedingt und halbherzig im Vergleich zur Großzügigkeit seines Einsatzes für die Hansestadt. Wehmut und Verlusterfahrung, das Bewusstsein, einen Teil seiner Jugend unwiederbringlich verloren zu haben, waren für Heine die Begleiter dieser Schreckensmeldungen.

Brand Hamburgs

Ästhetik und Engagement (1843-1848)

Ein deutscher Schriftsteller in Paris besaß zwar für seine Leser ein besonderes Flair, konnte aber trotz seines Renommees auch leicht den Kontakt zur Heimat und den Blick für die dortigen Verhältnisse und Veränderungen verlieren. Da half die bloße Lektüre von Cottas Augsburger *Allgemeiner Zeitung*, dem damals tonangebenden deutschen Organ, dessen Mitarbeiter Heine ja war, keinesfalls. Auch sein umfangreicher und ebenso ausdrucksvoller wie abwechslungsreicher Briefwechsel vermochte keinen Ersatz zu bilden. Der Verleger Campe hatte

Heinrich Heine. Porträt von Isidor Popper. Hamburg 1843

ihn längst darauf aufmerksam gemacht, dass der Autor sich endlich aus Anschauung und Präsenz ein realistisches Bild der in manchem veränderten deutschen Heimat und ihrer Bedingungen machen müsse. Die Sehnsucht, seine Mutter und die Familie in Hamburg, zumal nach der Brandkatastrophe, wiederzusehen, tat das Übrige. So reiste der wie ein soignierter französischer Abbé wirkende Intellektuelle, der damals noch vor Gesundheit zu strotzen schien, aber schon leichte Ermüdungserscheinungen zeigte, im Herbst 1843 zum ersten Mal wieder nach Deutschland. Isidor Popper hat Heine solcherart in Hamburg gemalt und offenbar zur selben Zeit auch dessen Mutter verewigt.

Zwei Deutschlandreisen

Insgesamt führten Heine in den Jahren 1843 und 1844 zwei Reisen nach Hamburg. Die erste vom 21. Oktober bis 16. Dezember 1843 erfolgte teils mit der neuen Eisenbahn, teils mit

der altbewährten Postkutsche und erforderte für die Hin- wie Rückreise jeweils gut acht Tage. Sie wurde ohne Mathilde absolviert, die er für die Zeit seiner Abwesenheit in einer Pension untergebracht hatte. Paris war ein Moloch und die Ehefrau gewissermaßen ein nicht gar so autarkes Eigentum, das darum vor Ungelegenheiten zu schützen war; vor allem aber konnte sie möglicherweise verloren gehen. Die Vorsichtsmaßnahme zeugt von Heines Besitzerstolz und Fürsorge, aber auch von Mathildes Unselbständigkeit und Schutzlosigkeit.
Auf der zweiten Reise musste sich der als politisches Schwergewicht geltende Autor auf den Seeweg verlassen, denn das Betreten des preußischen Bodens hätte mit Inhaftierung einhergehen können: Wegen seiner Verbindung zu den *Deutsch-Französischen Jahrbüchern* und dem *Vorwärts,* zu deren Herausgebern Karl Marx gehörte, war ein aktueller Steckbrief veröffentlicht worden. Diesmal reiste Mathilde nach Hamburg mit, wo sie nach drei Tagen am 22. Juli 1844 ankamen. Mathilde blieb zwei Wochen. Zwar erweckte sie offenbar das wohlwollende Interesse Onkel Salomons, aber da sie kein Deutsch sprach und verstand, gestaltete sich der Aufenthalt schwierig, und sie fuhr ihrem Manne, der ihr anschließend die eifersüchtigsten und schönsten Ehebriefe schickte, nach Paris voraus. Er folgte erst am 9. Oktober 1844 über Amsterdam, Den Haag und Brüssel und war eine Woche später wieder bei ihr in Paris.
Auf der ersten Reise hätte er gewiss, da Köln auf dem Weg lag, auch Düsseldorf besucht, wenn sein dort seit vielen Jahren tätiger, aufrechter Freund Immermann, Kriminalrat und Be-

»Mein Gott, der bloße Gedanke, daß Du ohne mich in Paris bist, macht mich zittern. Mein armes Lamm, Du bist in Paris, in der Hauptstadt der Werwölfe – Nimm dich in acht [...]. Du weißt wohl, daß Du nur sicher bist unter der Huth Deines treuen Schäfers, welcher zugleich Dein Hund ist. Ich schreibe Späße nieder, und das Herz blutet mir.« (Heinrich Heine in einem Brief vom 1. Oktober 1844 aus Hamburg an Mathilde; H2, S. 545)

gründer der Düsseldorfer Musterbühne, nicht 1840 bereits gestorben wäre. Die Nachricht von seinem Tod hatte Heine genau wie die vom Ableben Rahel Varnhagens sieben Jahre früher zum Weinen gebracht. *Heines Tränen* sind in der Tat ein ganz eigenes Kapitel, über das Martin Walser bei der Verleihung der Ehrengabe der Heine-Gesellschaft im Jahr 1981 ebenso Erhellendes wie Bewegendes gesagt hat.

Dagegen war auf der ersten Reise tatsächlich mit der deutschen Luft und Sprache so etwas wie ein Jungbrunnen verknüpft, und gleichzeitig wurden Heine im »traurigen Monat November« (B 4, S. 577) die Augen über die desolaten politischen Verhältnisse geöffnet. Freude und Schrecken lagen also nah beieinander. Die Hinreise verlief über Brüssel, Münster, Osnabrück und Bremen. Die Rückreise, die sich dann in umgekehrter Reihenfolge in seinem *Wintermärchen* wieder findet, führte ihn über Hannover, wo er J. H. Detmold traf, über Bückeburg, Minden, Paderborn und Münster, wo er den Jugendfreund Sethe besuchte, über Hagen, Köln, Aachen und Brüssel nach Paris. Man darf nicht vergessen, dass eine solche Reise damals eine Staatsaktion bedeutete und trotz ihrer privaten und geschäftlichen Gründe auch dem Sammeln notwendiger literarischer Erfahrung geschuldet war. Auf die Prosa-*Reisebilder* aus seiner deutschen Zeit lieferte somit jetzt das Versepos *Deutschland. Ein Wintermärchen*, das im September 1844 in Hamburg erschien und vom Autor dort gleich vor Ort korrigiert werden konnte, das souveräne Echo aus seiner französischen Epoche. Flankiert wurde dieser Text durch Heines zweites, spiegelbildlich angeordnetes Versepos *Atta Troll. Ein Sommernachtstraum*, dessen Zeitschriftenfassung für Laubes *Zeitung für die elegante Welt* bereits Anfang 1843 publiziert wurde, während die Buchfassung 1847 herauskam. Das *Wintermärchen* wurde in einem Band zusammen mit den *Neuen Gedichten* veröffentlicht, die unter Beweis stellen, wie sich der Lyriker Heine in Richtung des politischen Gedichts und der schonungslosen Satire entwickelt hatte. Ein Separatdruck des *Wintermärchens* bot obendrein eine aufschlussreiche Vorrede, in der er über seine Form eines kosmopolitischen Nationalismus spricht und kurzerhand behauptet, dass er

Vgl. *Deutschland. Ein Wintermärchen*, S. 87 ff.

Vgl. *Atta Troll*, S. 89 ff.

»des freien Rheins noch weit freierer Sohn« sei (B 4, S. 574). Umgehende Verbote bzw. Beschlagnahmungen in vielen deutschen Staaten ließen nicht auf sich warten.

Karl Marx

Wenige Tage nach der Rückkehr von seiner ersten Deutschland-Reise, Mitte Dezember 1843, hatte Heine in Paris Karl Marx kennen gelernt. Der junge Revolutionär verehrte den älteren Dichter, der gar bei einem Krampfanfall der kleinen Tochter Jenny besten Rat wusste und ein heißes Bad empfahl. Der Dichter wiederum ließ sich vom Begründer des Kommunismus anregen, dessen unabwendbar notwendige Zukunft er heraufziehen sah, dessen Schrecken er aber gleichzeitig eindringlich beschwor. Heine lieferte beispielsweise für die von Marx mitbetreute Zeitschrift, den *Vorwärts*, Texte. Hier erschien denn auch in einigen Folgen ein Nachdruck des Versepos *Deutschland. Ein Wintermärchen*, das an Schärfe und Hellsicht nichts zu wünschen übrig ließ.

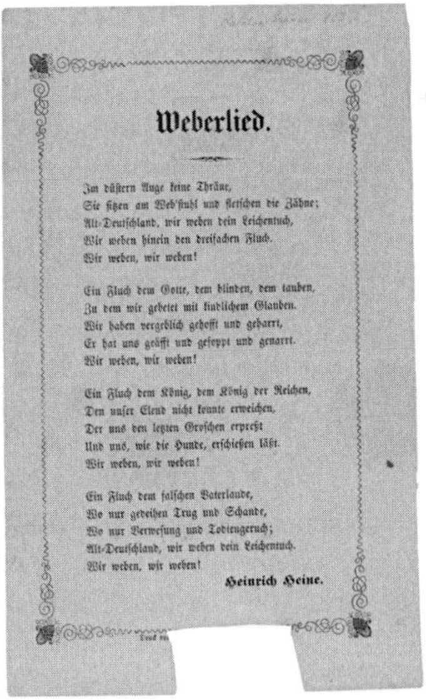

Weberlied.

Im düstern Auge keine Thräne,
Sie sitzen am Web'stuhl und fletschen die Zähne;
Alt-Deutschland, wir weben dein Leichentuch,
Wir weben hinein den dreifachen Fluch.
Wir weben, wir weben!

Ein Fluch dem Gotte, dem blinden, dem tauben,
Zu dem wir gebetet mit kindlichem Glauben.
Wir haben vergeblich gehofft und geharrt,
Er hat uns geäfft und gefoppt und genarrt.
Wir weben, wir weben!

Ein Fluch dem König, dem König der Reichen,
Den unser Elend nicht konnte erweichen,
Der uns den letzten Groschen erpreßt
Und uns, wie die Hunde, erschießen läßt.
Wir weben, wir weben!

Ein Fluch dem falschen Vaterlande,
Wo nur gedeihen Trug und Schande,
Wo nur Verwesung und Todtengeruch;
Alt-Deutschland, wir weben dein Leichentuch.
Wir weben, wir weben!

Heinrich Heine.

Heines »Weberlied« auf einem Flugblatt von 1844

Im *Vorwärts* vom 10. Juli 1844 wurde auch Heines Gedicht »Die schlesischen Weber« zum ersten Mal abgedruckt, das in keine zeitgenössische Lyriksammlung Heines aufgenommen werden konnte: Das öffentliche Vortragen des Gedichts, das außerdem auf Flugblättern vervielfältigt war, reichte in Berlin schon für eine Gefängnisstrafe. Heine hat mit seiner eindringlichen Anklage gegen »Gott«, »König« und »Vaterland« die drohende Begleitmusik des Weberschiffchens aufgenommen (B 4, S. 455); der Untergang der Weber zieht das Ende der alten deutschen Verhältnisse nach sich. Zweifellos bilden »Die schlesischen Weber« den Höhepunkt des politischen Gedichtes dieser Zeit.

Am 23. Dezember 1844, wenige Wochen nach Heines zweiter Rückkehr aus Hamburg, starb sein Onkel Salomon. Das Familienoberhaupt mit dem sprichwörtlich jüdischen Familiensinn, dazu Stifter des Israelitischen Hospitals, worüber der

Neffe ein bewegendes Gedicht verfasst hatte, war davongegangen. Von nun an blieb nichts mehr, wie es gewesen war.

Der Erbschaftsstreit

Salomon Heine soll eine Erbschaft von ungefähr 30 Millionen Franken hinterlassen haben (nach der Umrechnung von 1975 etwa 216 Millionen DM, vgl. Werner 1978, S. 125). Das war im Zeitraum der Julimonarchie dreimal mehr, als der damals reichste Nachlasser in Paris besessen hatte. Die von Heine beanspruchte jährliche Rente von 4.800 Francs, die ihm seit der Heirat mit Mathilde gezahlt wurde und die die früheren Summen übertraf, sollte nach dem Willen des hinterbliebenen Hamburger Familienclans sofort um die Hälfte gekürzt werden. Testamentarisch waren ihm genau wie seinen Brüdern, die allerdings beruflich erfolgreich und abgesichert waren, nur einmalig 8 000 Bankomark oder 0,05 % der Erbmasse zugesprochen worden. Heines ehrenvolle Sonderrolle innerhalb der Familie, von der er stillschweigend hatte ausgehen können, war damit abrupt abgeschafft.

Heine hatte mit der Hoffnung, durch das Testament seines Onkels finanziell versorgt zu sein, pragmatische Überlegungen verknüpft. Seine unheilbare Krankheit hatte sich bereits gravierend gemeldet; Lebensängste kamen auf; Mathilde war zu versorgen. Die Familie, sosehr er sie auch witzig als Menagerie beschrieben hatte, sosehr ihre Geschichte ihm als ewig erschien, besaß auch ihr Janushaupt: Er hatte voller anhänglicher Erwartung an diese Sippe in Hamburg geglaubt und dann doch in Ottensen sein »Affrontenburg« (B 6/I, S. 199), wie ein Gedicht überschrieben ist, erlebt. Villa und Park des Onkels waren eben auch der Ort, an dem man dem berühmt gewordenen Außenseiter der Familie, dem mittelloseren und damit abhängigeren Dichter, durchaus nicht wohl wollte und wo man hinterhältig gegen ihn intrigierte.

Auf jeden Fall musste es ihm so erscheinen. Er, der die politische Zensur zur Genüge kennen gelernt hatte, wurde nun mit den wie selbstverständlich vorgetragenen Wünschen nach einer Familienzensur konfrontiert. Man fürchtete, das Opfer seiner Personalsatire zu werden, und wollte das auf jeden Fall verhindern. Damit stand die Freiheit des Schriftstellers auf dem Spiel. Heine ließ sich auf ein solches von kleinlichen und

ehrpusseligen Überlegungen geleitetes Ansinnen allerdings nicht ein, denn da waren die Stilfragen und inhaltlichen Probleme seiner Werke doch gewaltiger als die Nöte der Familienmitglieder, ob auch die hohen Verwandten respektvoll genug in der Öffentlichkeit abkonterfeit würden.
Er mobilisierte seine Freunde: Varnhagen, den Fürsten Hermann von Pückler-Muskau, den jungen, hoffnungsvollen Ferdinand Lassalle. Sogar später noch schrieb er für den *Romanzero* Gedichte über Enttäuschung und Verrat, Liebe und

»Der Verrath der im Schooße der Familie, wo ich waffenlos und vertrauend war, an mir verübt wurde, hat mich wie ein Blitz aus heiterer Luft getroffen und fast tödtlich beschädigt; wer die Umstände erwägt, wird hierin einen Meuchelmordsversuch sehen; die schleichende Mittelmäßigkeit, die zwanzig Jahre lang harrte, ingrimmig neidisch gegen den Genius, hatte endlich ihre Siegesstunde erreicht. Im Grunde ist auch das eine alte Geschichte, die sich immer erneut.« (Heinrich Heine in einem Brief vom 3. Januar 1846 an Karl August Varnhagen von Ense; HSA 22, S. 181)

Leben, deren Protagonisten Dichter waren, in denen er sich wiedererkannte. Mitsamt den damit verknüpften tragischen Umständen war er der persische Nationaldichter Firdusi und der spanisch-jüdische Dichter Jehuda Halevi. Rollenspiele hatten ihm schon immer gelegen, jetzt bildeten sie die psychologische Voraussetzung für das pure Überleben. Der Schock über die testamentarische Gleichgültigkeit gegenüber dem in Paris wohnenden Neffen, wo es schon teuer genug war zu leben und noch teurer zu sterben, saß nicht nur tief, sondern verführte Heine zu großen öffentlichen Attacken. Er hatte geglaubt, von einer großzügigen Versorgung ausgehen zu dürfen; so hatte er seinen Onkel verstanden. Aber nun musste er einsehen, dass der Neffe in Paris offenbar trotz seines prekären Amtes und seiner unsicheren Stellung nicht wichtiger war als die anderen Nichten und Neffen: Die sprichwörtliche jüdische Familienobhut hatte in seinem Falle versagt. Der Erbschaftsstreit eskalierte zum öffentlichen Skan-

Carl Heine

dal. Der liebenswürdige Vetter Carl von ehemals, als Haupterbe jetzt der neue Familienvorstand, lenkte erst sehr viel später und auch dann nur nach und nach ein, zeigte sich aber schließlich doch nicht knauserig. Ab Herbst 1846, nach einer Falschmeldung über Heines Tod, wurde Heine seine Pension, die ihm Carl während des Erbschaftsstreits nur auf freiwilliger Basis weitergezahlt hatte, auf Lebenszeit zugesichert; nach Heines Ableben sollte seine Witwe die Hälfte davon erhalten. Mit Beginn der Matratzengruft wurde ihm über die Pension hinaus ein Jahreszuschuss von 3000, ab 1850 von 5000 Francs gewährt. Alles in allem waren die Familienzuwendungen größer als die Einnahmen aus dem Beruf als freier Schriftsteller. Insofern verlieh ihm nur der Schoß der Familie jene Unabhängigkeit, deren er bedurfte.

Heines Krankheit

Heines Krankheitsschub, der mit den Streitigkeiten einherging, scheint mit diesem Vertrauensverlust, mit diesen Existenzängsten zusammenzuhängen. Woran genau litt er, der seit Beginn der französischen Zeit trotz allen Glücks gleichzeitig über die Lähmung der linken Hand und Augenprobleme zu berichten hatte? Seine eigenen Beschreibungen und die seiner Gäste eröffnen ein Szenario von Schrecken und Schmerzen. Er selber ging ganz unbefangen von einer Syphilis aus – er war halt, so seine Überzeugung, wie so viele vor und neben ihm von Amors vergiftetem Pfeil getroffen worden und machte das eigene Geschlechtsleben für seine Bettlägerigkeit, Lähmungserscheinungen, halbe Blindheit und galoppierende Magerkeit verantwortlich. In einem Gespräch teilte er dem jungen Ferdinand Lassalle offen mit, dass jene »Partie« seines Unterleibs, für die er so viel getan habe, ihn endlich – »welcher Undank« – so weit gebracht habe (zit. n. Kruse 1983, S. 256). So jedenfalls steht es in einem Brief Lassalles von Anfang Juli 1855 an Karl Marx. Die Diagnose einer meningovaskulären Lues wird in einer jüngst erschienenen Arbeit zum Thema von Roland Schiffter, einem erfahrenen Neurologen und Heine-Verehrer, erneut mit guten sachlichen Gründen vertreten. Diskutiert wurden früher auch die amyatrophische Lateralsklerose, die tuberkulöse Meningitis und eine Bleivergiftung. Es bleibt ein rätselhaftes Feld.

Jedenfalls war Heine seit dem Testamentsdebakel ein gebrochener Mann. Er musste nicht simulieren. Er sah sich im Elend, in der Fremde. Den ehemaligen Bonner Kommilitonen Dieffenbach hätte Heine während der ersten Krankheitsschübe 1846 wegen seines Augenleidens gerne in Berlin konsultiert; der Naturforscher Alexander von Humboldt riet ihm allerdings in einem eindringlichen Brief freundschaftlich von einer Reise in die preußische Hauptstadt ab, nachdem alle möglichen diplomatischen Versuche, den Haftbefehl gegen Heine aufheben zu lassen, nichts gefruchtet hatten. Das *Buch Hiob* wurde Heine von nun an nicht nur als Lektüre vertraut, sondern als Muster des eigenen brüchigen Glücks. Gesundheitliche und finanzielle Probleme türmten sich gleichzeitig vor ihm auf. Er hatte vorher keine Hemmungen besessen, etwa Meyerbeer anzupumpen, weil dieser Heines Lob oder wenigstens keinen Tadel in der Presse zu lesen hoffte, aber das war auf die Dauer keine verlässliche Einnahme. Auch eine französische Staatspension, ein Ehrensold, der dem berühmten deutschen Gast ohne Bedingungen gewährt wurde, fiel der Februarrevolution von 1848 zum Opfer. War er etwa für das bezahlt worden, was nicht aus seiner Feder floss, sondern zurückgehalten wurde? Solche Unterstellungen lagen nah.

Mit den Reisen in Frankreich nahm es ebenfalls ein Ende. Der Sommer 1844 war restlos für Hamburg reserviert worden. Im Juni 1845 ging es, belastet vom Augenleiden, nach Montmorency. Im Jahr darauf, ebenfalls im Juni, unternahm er eine Erholungsreise nach Bagnères-de-Bigorre, das er wegen seines schlechten Gesundheitszustandes nach zwei Wochen in Richtung Barèges verließ. Ende August kehrte er über Tarbes nach Paris zurück. 1847 fand die letzte Reise statt, die ihn im Mai mit Unterbrechungen wiederum nach Montmorency führte. Ab Ende September blieb er dann – von zwei rasch wieder aufgegebenen Bemühungen abgesehen, in einen Vorort auszuweichen – für immer in Paris. Hier befand er sich seit Fe-

»Ich bin entzückt über Ihren Vorsatz hierherzukommen. Führen Sie ihn nur bald aus. Sie müssen ein bischen eilen, denn obgleich meine Krankheit eine ruhig fortschreitende ist, so kann ich doch nicht einstehen vor einem Salto mortale, und Sie könnten zu spät kommen um mit mir über Unsterblichkeit, Literatenverein, Vaterland und Campe und ähnlichen höchsten Fragen der Menschheit zu reden; Sie könnten einen sehr stillen Mann an mir finden. Ich bleibe diesen Winter auf jeden Fall hier [...]; und finden Sie mich nicht hier, so suchen Sie mich gefälligst auf dem cimitierre Montmartre, nicht auf dem Père Lachaise, wo es mir zu geräuschvoll ist.« (Heinrich Heine in einem Brief vom 19. Oktober 1846 an Heinrich Laube; HSA 22, S. 228)

bruar 1848 zeitweise in einer Heilanstalt, die einem ärztlichen Freund gehörte. Das Vorspiel seiner Matratzengruft hatte längst begonnen. Böse Vorzeichen hatten sich ja bereits am Beginn der französischen Zeit bemerkbar gemacht. Nun war der Untergang nur noch zu ertragen, nicht mehr aufzuhalten.

In der Matratzengruft (1848-1856)

Aus einem erfolgreichen, an Genuss gewöhnten deutsch-französischen Schriftsteller, der in die Pariser Gesellschaft integriert war, wurde aufgrund seiner gravierenden Leiden ein wirkliches Häufchen Elend. An seinen Arztbruder Maximilian schrieb Heine unter Verwendung des schönsten deutschen Stabreims am 12. September 1848, er könne »weder kauen noch kacken« (HSA 22, S. 294). Er hatte den Zustand eines unerträglichen Unlebens oder vorzeitigen Todes erreicht. Wiederum spielte die Übereinstimmung von öffentlichem und privatem Geschehen im Rahmen der heineschen Biographie eine Rolle, als er schwerkrank Zeuge der Barrikadenkämpfe während der Februarrevolution von 1848 wurde.

Unleben und Weltkuddelmuddel

Sie kam ihm freilich als Weltkuddelmuddel und keineswegs als die erhoffte notwendige Lösung der sozialen und politischen Probleme vor und hat ihn deshalb insgesamt enttäuscht. Der auf die Revolution folgenden jungen Republik, die der Bourgeoisie mehr zugute kam als den unteren Klassen, mochte Heine nicht trauen, und das 1851 sich anschließende Kaiserreich Napoleons III. knüpfte zwar durch den Namen des Regenten ein Band zu den Idealen seiner Jugend, war aber auch nicht jene konstitutionelle Monarchie mit demokratischen Zügen, in der Heine noch am ehesten die Menschenrechte verwirklicht gesehen hätte.

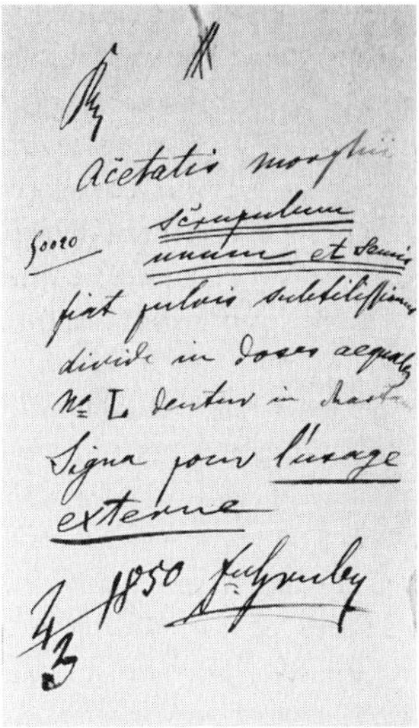

Morphiumrezept für Heine, ausgestellt von Dr. David Gruby am 4. März 1850

Seinen letzten Besuch im Louvre unternahm Heine im Mai 1848; seinen Zusammenbruch vor der Venus von Milo beschrieb er im Nachwort zu seiner Gedichtsammlung *Romanzero* von 1851 als Abschied von der hellenischen Phase seines Lebens. Dem schönen Torso fehlen die Arme; der Dichter benötigt aber einen Gott, der zu helfen vermag. Nun begann für ihn die asketische oder nazarenische Epoche seines Lebens, die an gleicher Stelle so bezeichnete Matratzengruft. Mit diesem Ausdruck wird, wie Robert Gernhardt in seiner Rede zum Heine-Preis 2004 mit Recht ausführte, ein unvergessliches »Hammerwort« geschaffen, das fürstlichen Anspruch im Tode und den Schmerz zu Lebzeiten auf den Punkt bringt. Als Levin Schücking, der Freund der Annette von Droste-Hülshoff, Heine in den frühen Tagen seiner Krankheit, im September 1847, besuchte, sprach er bereits von der Christus-Ähnlichkeit. An biblischen Vergleichen mangelte es Heine in jener Zeit auch selber nicht.

Ende Mai unternahm er den Versuch, nach Passy vor den Toren von Paris überzusiedeln, die rapide fortschreitenden Lähmungserscheinungen zwangen ihn aber bald zur Rückkehr in die Stadt. Ab September 1848 lebte er in der rue d'Amsterdam, wo der größte Teil seiner Leidensgeschichte stattfand. Heine wusste sich auch jetzt, unter den fürchterlichsten Bedingungen, wenigstens teilweise zu helfen. Er entdeckte für sich die Figuration der Lazarus-Gestalt aus der Beispielerzählung Jesu, wobei der Name gleichfalls einen Freund Jesu aus Bethanien

Der arme Lazarus und die Bibel

bezeichnet, der vom Tode auferweckt wurde. Dieser Lazarus soll der Legende nach der erste Bischof von Marseille gewesen sein, wo er mit seinen Schwestern Martha und Maria Magdalena das Christentum verbreitete. Dem gelehrten Dichter waren auch die frommen Überlieferungen seines Gastlandes vertraut, die er gemäß seiner Kunst der privaten Interpretation selbst auf seine Adresse nahe dem Gare St. Lazare und der rue St. Lazare anwandte, wo sein berühmter Arzt Daniel Gruby wohnte. Die Gottesfrage löste sich für ihn auf in der literarischen Wiederentdeckung der Bibel, die ihn schon früher stets begleitet hatte.

»[...] und ich verdanke meine Erleuchtung ganz einfach der Lektüre eines Buches – Eines Buches? Ja, und es ist ein altes, schlichtes Buch, bescheiden wie die Natur, auch natürlich wie diese; [...] – und dieses Buch heißt auch ganz kurzweg das Buch, die Bibel. Mit Fug nennt man diese auch die Heilige Schrift; wer seinen Gott verloren hat, der kann ihn in diesem Buche wiederfinden, und wer ihn nie gekannt, dem weht hier entgegen der Odem des göttlichen Wortes.« (Heinrich Heine, Vorrede zur zweiten Auflage von *Salon* II; B3, S.512)

Seine Liebe zum Buch der Bücher ist keine Bekehrung, die durch die Krankheit bedingt wäre. Viel eher ist dagegen Heines religiöses Erlebnis während der Krankheit als eine literarisch-poetische Existenzvertiefung durch den von neuem angeeigneten Text zu beschreiben. Offensichtlich war Heine der Ansicht, dass jegliche sonstige menschliche Erfindungsgabe vor der Bibel kapitulieren müsste: Wenn denn irgendeine Menschheitstradition durch schriftliche Überlieferung Wunder zu wirken imstande war, dann dieses Buch mit seinen Erzählungen und Gebeten, Lebensberichten und Gottesgeschichten. Über Heines sogenannte Bekehrung in seinen letzten Jahren wurde viel spekuliert und diskutiert. Beim Düsseldorfer Heine-Kongress 1972 wurde die Formel von der theologischen Revision gefunden, um dieses Phänomen zu beschreiben, das der Forschung lange so peinlich war wie andere ungelöste Fragen der heineschen Biographie auch. Es ist sicherlich nicht falsch, auf manche unlösbaren Fragen mit der auch in dieser Lebensskizze immer wieder berufenen Charakterisierung *Rätsel Heine* zu antworten (vgl. Windfuhr 1997). Bemerkenswert ist, dass gerade in der jüngsten Zeit trotz ihrer rasant zunehmenden Säkularisierung wichtige Arbeiten wie die von Karl-Josef Kuschel oder Christoph Bartscherer zum existentiellen Problem beim religiösen Heine erschienen sind, die einen faszinierenden Beitrag zur modernen Erschließung des Dichters leisten.

Heine fügte sich zweifellos ein in die Jahrtausende alten Erfahrungen des jüdischen Volkes, das »der Welt einen Gott und eine Moral gegeben, und auf allen Schlachtfeldern des Gedankens gekämpft und gelitten« habe (B 6/I, S. 481), wie er in den *Geständnissen* schreibt. Die »große Gottesfrage« (B 3, S. 509), von der bei ihm die Rede ist, wird assistiert von der großen Suppen- (B 1, S. 340) und Kamel- (B 5, S. 453) sowie von »der großen Frauenfrage« (B 5, S. 319). Damit sind die Hauptprobleme von Sittlichkeit, die Armutsbekämpfung, die gerechte Aufteilung der Güter dieser Erde und die Gleichstellung der Frau angesprochen. Mit diesem Blick auf die Weltlage hatte sich auch schon der sehr viel jüngere Heine befasst. Während des Krankenlagers wuchsen die Einsicht, die Melancholie und die Skepsis; dennoch siegten der Stolz und der Trotz, während der reinen Verzweiflung mit Humor und Durchhaltewillen, wenn auch unter Tränen, eine Abfuhr erteilt wurde. Ungeachtet mancher Selbstmordgedanken blieb Heine frei und unabhängig. Allein schon wegen seiner Ehefrau, seiner Mutter und seiner Schwester dürfe er solchen Anwandlungen nicht nachgeben, schrieb er und stellte seine Freiheit sogar auf die Probe, indem er ständig einen Dolch griffbereit hatte oder aber zur tödlichen Morphiumdosis seine Zuflucht hätte nehmen können.

Die großen Fragen

Sein Arbeitswillen blieb gleichfalls ungebrochen, und seine schriftstellerische Leistung war auch weiterhin erstaunlich. Mitte Oktober 1851 erschien die dritte große Sammlung seiner Lyrik nach dem *Buch der Lieder* und den

»Ich bin krank wie ein Hund, arbeite wie ein Pferd, und bin arm wie eine Kirchmaus.« (Heinrich Heine in einem Brief vom 13. Januar 1855 an James de Rothschild; HSA 23, S. 406)

Vgl. *Romanzero*, S. 81 f.

Neuen Gedichten, der *Romanzero* mit dem schon erwähnten wichtigen Nachwort. Der Reklameaufwand dafür war enorm, und bis Ende des Jahres waren vier Auflagen notwendig. Die Kritik blieb allerdings gespalten: Die Gedichte des späten Heine fanden damals noch nicht jene Würdigung, die sie tatsächlich verdienen. Zur selben Zeit kam auch sein Ballettszenario *Der Doktor Faust. Ein Tanzpoem, nebst kuriosen Berichten über Teufel, Hexen und Dichtkunst* heraus, ein Auftragswerk für den Leiter des königlichen Theaters in London, Benjamin Lumley. Weil aber Jenny Lind, die berühmte schwedische Nachtigall, zum für Heine ungünstigsten Zeitpunkt dort auftrat, wurde sein bestens honoriertes Ballett, sein persönlicher Beitrag zu den deutschen Faustdichtungen, leider nicht aufgeführt.

Vgl. *Der Doktor Faust*, S. 112 f.

Einen Schlusspunkt in seinem Œuvre bilden schließlich die *Vermischten Schriften* von 1854 in drei Bänden. Im ersten Band haben seine autobiographischen *Geständnisse* Platz gefunden, seine *Gedichte. 1853 und 1854* sowie weitere mythologische Schriften, nämlich das Lehrstück *Die Götter im Exil* und das zweite Ballettszenario *Die Göttin Diana*. Hier finden sich ebenfalls seine bewegenden Denkworte über *Ludwig Marcus*. Die beiden anderen Bände enthalten die mit Umsicht überarbeiteten und redigierten Berichte für die Augsburger *Allgemeine Zeitung* aus den 1840er Jahren. Sie tragen nun in Anspielung auf die römische Vergangenheit von Paris den Titel *Lutetia* und haben den ausgezeichnet passenden Untertitel *Berichte über Politik, Kunst und Volksleben*. Damit ziehen sie gleichzeitig eine Summe des heineschen Tuns und Wollens in einer wichtigen Phase seiner Existenz.

Vgl. *Vermischte Schriften*, S. 113 ff.

Er, der sich früher oft genug verleugnen ließ, war jetzt auf Besuche angewiesen. Der körperliche Verfall scheint aber auch ein Hindernis für eine unbeschwerte Freundschaft gewesen zu sein. Sein Verleger Campe zum Beispiel mochte seinem Paradeautor die Hiobsbotschaften gar nicht glauben und zeigte sich lange Zeit beleidigt, weil Heine ihm in einem Brief unterstellt hatte, der Verleger spekuliere auf den Tod des Dichters, um dann mit einer Gesamtausgabe Furore zu machen. Auf diesen Vorwurf antwortete Campe nicht; erst im Juli 1851 überzeugte er sich bei einem Paris-Besuch zum ersten Mal vom traurigen Schicksal seines Freundes.

Späte Besucher

1852 kam Heines Bruder Maximilian aus St. Petersburg, 1855 besuchte ihn wiederum Campe. Vor allem kamen im selben Jahr, so kurz vor seinem Tod, seine Geschwister Gustav und Charlotte. Mit der Schwester hatte er stets das innigste Verhältnis unterhalten. Darin glich er, wie in anderen Punkten der Lebensführung und sogar in seiner Ehe, dem großen Weimarer Klassiker Goethe. Das Verhältnis zu Gustav, der für komplizierte Mittlerdienste bei Verlag und Familie einfach nicht zu gebrauchen war, blieb dagegen immer eher problematisch. Dennoch werden die auf dem Krankenbett erfahrene familiäre Fürsorge und der geschwisterliche Zusammenhalt Heine gut getan haben; seinen Geschwistern konnte und musste er zeigen, wie es wirklich um ihn stand, während er der alten Mutter in Hamburg stets mit größter Umsicht und Raffinesse den wahren Zustand zu verschleiern versucht hatte. So weit ging seine Sohnesliebe, die der Mutter keine übermäßige Belastung zumuten wollte. Der Schock der drei in Paris aufeinander treffenden Geschwister über die jeweiligen Veränderungen, besonders aber über das maßlose Elend des Dichters, der bei solchen Gelegenheiten seine Misere als besonders quälend empfand, saß tief. Eine ähnliche Szene beim Wiedersehen mit seiner Kusine Therese Halle, die ihn im Sommer 1853 besucht hatte, hat Heine folgendermaßen festgehalten: »O Gott, wie muß ich elend sein! / Denn sie sogar beginnt zu sprechen, / Aus ihrem Auge Tränen brechen, / Der Stein sogar erbarmt sich mein! // Erschüttert hat mich, was ich sah! / Auch du erbarm dich mein und spende / Die Ruhe mir, o Gott, und ende / Die schreckliche Tragödia.« (B 6/I, S. 206) Sich zum Krankenlager Heines zu begeben kam in der Tat einem Besuch in einem Totenhaus gleich.

Mathilde konnte die Last der Krankenpflege nicht allein tragen. Heine bedurfte der Pflegerinnen, besonders aber auch der Sekretäre, die nach Diktat Briefe und Manuskripte schrieben oder nach Vorlage abschrieben und wiederum überarbeiten ließen. Die großen, mit weichem Bleistift aus dem Hause Faber nachts vollgeschriebenen Seiten häuften sich. Der

Kranke unterhielt gewissermaßen ein ganzes Büro, denn vorlesen lassen musste er sich ständig, wenn er an Vergangenheit und Gegenwart teilnehmen wollte. Die Bücher kamen zum großen Teil aus den Hamburger Leihbibliotheken und wurden ihm von der Familie oder vom Verleger besorgt. In den allerletzten Monaten seines Lebens traf eine junge Abenteurerin ein, die ihm Gesellschaft leisten konnte und die er mit aller Sehnsucht und Kraft zu lieben begann, auch wenn ihm mehr als deutlich war, dass beide ein »kurioses Paar« bildeten (B 6/I, S. 342). Er nannte die ursprünglich aus Deutschland stammende Frau namens Elise Krinitz, um die sich bis vor einigen Jahren manche Legende gebildet hat (mit deren *Dichtung und Wahrheit* Menso Folkerts erst im *Heine-Jahrbuch* 1999 aufräumen konnte), nach dem Petschaft auf ihrem Ring

Die Mouche

kurzerhand Mouche, Fliege. Im Umtaufen seiner Bezugspersonen weiblichen Geschlechts war er ein Meister; bei seiner Kusine Amalie oder Molly mochten sich noch alle der Koseform bedient haben, aber Mathilde war sein Geschöpf und seine Erfindung und Mouche in analoger Weise ebenfalls.

»Liebste Mouche! Ich bin sehr leidend und zum Tode verdrießlich. Auch das Augenlid meines rechten Auges fällt zu und ich kann fast nichts mehr schreiben. Aber ich liebe Dich sehr und denke viel an Dich, Du Süßeste. [...] Du bist nicht so dumm, wie Du aussiehst; zierlich bist Du über alle Maßen, und daran erfreut sich mein Sinn. Werde ich Dich morgen sehn? Ich weiß noch nicht; denn geht es mir nicht besser, erhältst Du Contre-Ordre! Eine weinerliche Verstimmung überwältigt mich. [...] Ich wollte ich wäre todt oder ein gesunder Mops [...].« (Heinrich Heine in einem Brief vom 23. Januar (?) 1856 an Elise Krinitz; HSA 23, S. 479)

Ende August 1854 wollte er noch einmal versuchen, Ruhe zu finden und aufs Land nach Batignolles bei Paris zu ziehen, kehrte aber Anfang November bereits in eine neue, seine letzte Pariser Wohnung an der avenue Matignon zurück. Das Schlusskapitel war endgültig eröffnet. Dass er nicht gerade zu den Sesshaften gehörte, hatte er in seinen lebenslangen Reisen unter Beweis gestellt, aber Pläne, noch einmal nach Italien zu gehen oder Spanien, das Land von Cervantes, dem Schöpfer des *Don Quixote*, zu bereisen, hatten längst aufgegeben werden müssen. Die Welt konnte er sich nur noch durch Lektüre oder besser durch Vorlesen ins Haus holen. Die Erfahrung jeglicher Zeitphänomene änderte sich rapide: warten und wachen, Briefe aufsetzen und Manuskripte korrigieren, ein kompletter Rückzug aus dem alltäglichen Leben, lebendig begraben sein. Der aufgrund der unerträglichen Schmerzen notwendig gewordene Morphiumkonsum machte ihn abhängig. Er fühlte sich oft wie betäubt, arbeitete dennoch unermüdlich weiter an seinem Lebenswerk der Vermittlung zwischen Deutschland und Frankreich. Die Vorbereitung seiner französischen Gesamtausgabe beim Pariser Verleger Lévy füllte seine letzten Wochen aus. Ein Morphiumabusus, veranlasst von einem Notarzt, der ein besonderes Unwohlsein des Patienten lindern sollte, aber dessen Krankengeschichte nicht kannte, führte schließlich am Morgen des 17. Februar 1856 zu seinem Tod. Seine letzten Worte sollen laut Aussage der Pflegerin gelautet haben: Papier – Bleistift. So blieb er dem Leben eines Schriftstellers bis zum Schluss treu.

Tod und Begräbnis

Als er am 20. Februar auf dem Friedhof Montmartre begraben wurde, hatte er tatsächlich die weite Welt mit ihren Höhen und Tiefen ausgekostet. Er konnte seiner Frau wenigstens ein gewisses Vermögen hinterlassen, das ihre Unabhängigkeit sicherte. Immerhin gehörte er aufgrund seiner Hinterlassenschaft, zum Beispiel von Wertpapieren, zur oberen Hälfte des mittleren Bürgertums, das seinerseits nur knapp sieben Prozent der Bevölkerung ausmachte. Die Legende vom armen Dichter kann in der Tat zu den Akten gelegt werden.

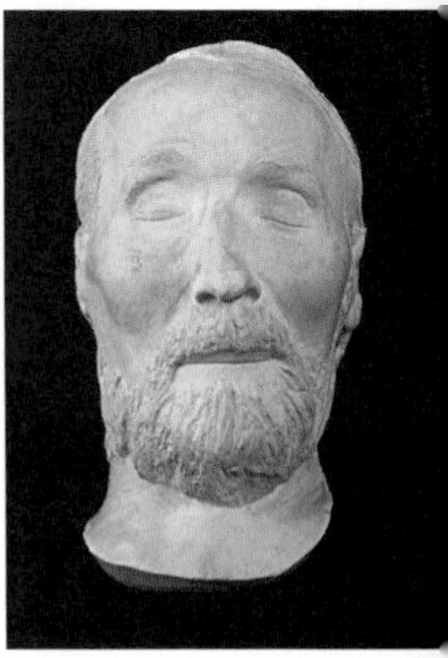

Heines Totenmaske, abgenommen von Joseph Fontana am 19. Februar 1856

Unter den Trauergästen bei der einfachen, bewusst ohne jegliches Zeremoniell abgehaltenen Beerdigung fanden sich von den Franzosen beispielsweise Alexandre Dumas und Théophile Gautier ein. Illusionslos hatten schon die ersten Verse des »Epilogs«, mit dem die *Gedichte. 1853 und 1854* enden, gelautet:

»Unser Grab erwärmt der Ruhm. / Torenworte! Narrentum!« (B 6/I, S. 239) Diesem witzig-skeptischen Realismus korrespondiert eine Zeile aus dem großen Nachlassgedicht an die Mouche, in dem Heine bereits die symbolistische Kraft vorwegnimmt, mit der Charles Baudelaire 1857 die lyrische Zukunft endgültig eröffnete: »Das Schweigen ist der Liebe keusche Blüte.« (B 6/I, S. 348) Heine beherrschte eben die vielen Töne auf der Leier der Lebensbeschreibung. Charme und Tiefsinn seines Werks haben ihre Wirkung nie verloren.

Werk

Vielfalt und Einheit

Trotz seiner romantischen Wurzeln gilt Heine als Hauptvertreter der literarischen Epoche des Jungen Deutschland und des Vormärz, auch wenn solche chronologischen wie politischen Schemata nur Hilfscharakter besitzen. Gleichzeitig zeigt Heine eine deutliche Affinität zur Aufklärung, Verknüpfungen mit der Weimarer Klassik werden vom Autor ebenfalls nicht gescheut, und auch Verflechtungen mit dem aufkommenden poetischen Realismus wie bewundernswerte Vorstufen zum Symbolismus sind erkennbar.

Entstanden ist sein Werk im Großen und Ganzen während der sogenannten Biedermeierzeit, die den Zeitraum von 1815 bis 1848, von der Neuordnung Europas nach Napoleon bis zur Februar- bzw. Märzrevolution von 1848, umfasst, teilweise jedoch auch darüber hinausreicht. Gewarnt werden muss vor einem landläufigen, idyllisch harmlosen Bild dieser Zeit à la Carl Spitzweg oder vor einer beiläufigen Verteidigung ihrer konservativen Tendenzen. Denn man darf nicht vergessen, dass die Heine-Zeit und selbst noch der Nachmärz von verschiedensten Imponderabilien, von Zensur und Unterdrückung, Verbot und Exil gekennzeichnet waren. Restauration und Revolution sind die Pole, zwischen denen sich die Lebensmöglichkeiten der Öffentlichkeit abspielten. Der Dichter seinerseits befand sich mit seinen Botschaften zwischen Poesie und Politik. Oft genug blieb ihm nur die Rolle eines »Opfers« seiner Zeit und ihrer ablehnenden Bedingungen übrig (vgl. Briegleb 1986).

Abgründiges Biedermeier

Heine ist Lyriker von Format, der sehr bald als Nachfolger Goethes angesehen wurde. Er ist aber vor allem auch ein spektakulärer Prosaautor mit einem Mischstil aus objektiver Weltbeobachtung und ihrer subjektiven Einschätzung. Durch den Wechsel von lyrischen und prosaischen Abteilungen in seinen Werken schafft er eigene Spannungsbögen, und indem er in seinen Texten entschlüsselbare Antworten auf Zeitfragen gibt und private und öffentliche Gegebenheiten vermischt, spielt in seinen Schriften ständig die Begleitmusik zu seinem Leben.

Seine Weise der kritisch raschen Betrachtung und ironisch zupackenden Formulierung verhinderte es geradezu, dass aus ihm ein Romanautor oder Erzähler mit langem Atem wurde. Genauso wenig gelang ihm ein Durchbruch als Dramatiker, der wie selbstverständlich bis heute auf der Bühne präsent sein könnte. Dadurch ist seine Wirkungsgeschichte von der seines Zeitgenossen, mit dem er heute zu Recht oft genug in einem Atemzug genannt wird, nämlich Georg Büchner, grundsätzlich verschieden. Er erschuf jedoch unter anderem ein hintergründiges Feuilleton im besten Sinne mit begreiflicherweise kürzeren Formen, das bei aller Zeitbezogenheit auch auf andere Strukturen übertragbar ist. Der in der Romantik beschworene fragmentarische Charakter bestimmt weite Partien seines Werkes; hinzu kommen Verständlichkeit und Aktualitätsbezug, die seine Popularität förderten.

Meister des Versepos

Hervorzuheben ist neben, ja gerade aufgrund von Heines Leistungen auf dem Gebiet der Lyrik zweifellos auch sein Beitrag zur Ehrenrettung des Versepos. Das gelang ihm in den drei Werken *Deutschland. Ein Wintermärchen, Atta Troll. Ein Sommernachtstraum* und *Bimini* auf großartige Weise, auch wenn sein Erfolg zumal mit dem *Wintermärchen* das Überleben der Gattung nicht gesichert hat.

Autobiographischer Schreibimpuls

Auffällig ist seine Neigung, von früh an die von ihm geschaffene Literatur als Autobiographie zu begreifen. Der Leser kann somit nach und neben allen Verrätselungen von Lebensumständen, wie etwa im Reisebild *Ideen. Das Buch Le Grand*, den Autor als direkten Gesprächspartner erleben. Trotz solcher von ihm geschaffenen Nähe entzieht sich der Schriftsteller aber zur gleichen Zeit; er fällt nie mit der Tür ins Haus,

> »Wie leicht auch die Geschichte eines Dichters Aufschluß geben könnte über sein Gedicht, wie leicht sich wirklich nachweisen ließe daß oft politische Stellung, Religion, Privathaß, Vorurtheil und Rücksichten auf sein Gedicht eingewirkt, so muß man dieses dennoch nie erwähnen, besonders nicht bey Lebzeiten des Dichters. Man entjungfert gleichsam das Gedicht […].« (Heinrich Heine in einem Brief vom 10. Juni 1823 an Karl Immermann; HSA 20, S. 92 f.)

sondern stiftet eine subtile Gemeinschaft. Heine betrachtet sein Publikum als verständiges Gegenüber, dem er vorgeblich esoterische Botschaften übermittelt, ohne hermetisch zu sein. Mit seinen Lesern zusammen will er schließlich, und zwar nie ohne Witz und Verstand, dieselben Einsichten erzielen und zu wirkungsvollen Ergebnissen gelangen. Die Zuwendung zum Publikum schon in der Lyrik und der spürbare Gesprächscharakter der Prosa setzen bei Autor wie Publikum ein Assoziationsvermögen voraus, auf das Heine ausdrücklich bereits in seinen den eigentlichen *Reisebildern* vorausgehenden *Briefen aus Berlin* Anfang der 1820er Jahre baute. Dieser Stil erschwerte der literarischen Kritik von Anfang an und an vielen Stellen des Werks die bloße Inhaltsangabe: Heines Schriften leben von Einfällen, Abschweifungen und Überraschungen, und seine Lebendigkeit widerspricht dem überkommenen Korsett der literarischen Gattungen.

Unterstützt durch seinen kritischen Verleger Campe schuf er aus dem vorhandenen Textmaterial Arrangements, die seinem Mischstil auch in der typischen Mixtur der Bücher Tribut zollen. Das zeigt sich in den *Reisebilder*- und *Salon*-Bänden genauso wie in dem diese Eigenart schlicht konstatierenden späten Titel *Vermischte Schriften.* Leider ist in der philologischen Rezeption durch die Fixierung auf die klassischen Textarten manches vom überraschenden Zauber dieser ursprünglichen Abfolgen in Vergessenheit geraten. Es lohnt sich darum, das Augenmerk gerade auf die ursprünglichen Publikationszusammenhänge zu richten, vor allem auf jene vom Autor sorgfältig geplante Zusammenführung der Texte in einem Buch, bei der nichts dem Zufall überlassen bleibt.

Lyrik

Heine ist ein Meister der Wieder- und Mehrfachverwendung – und ein Virtuose im Zusammenstellen von Gedichtgruppen wie -zyklen. Diese sind in der frühen Zeit, aus welchen zahlenmystischen Gründen auch immer, nicht selten durch die Zahl Elf teilbar, was zu Heines Begabung für kompositorische Textgliederungen und zu seiner Strategie passt, in seinen Gedichten mehrere Deutungsmöglichkeiten anzubieten. Die

Variabilität seiner Zusammenstellungen hat jedoch auch zur Folge, dass in den verschiedenen lyrischen Zyklen oder Lyrikbänden von Auflage zu Auflage Veränderungen stattfinden. Endgültige Entscheidungen, wie die Gedichte zu gruppieren wären, behielt der Dichter einer von ihm geplanten, aber zu Lebzeiten nicht zustande gekommenen Gesamtausgabe vor.
Heine war mitteilungsfreudig. Daher hielt er seine Verse nicht in einem eifersüchtig gehüteten, langsam anschwellenden Manuskript zurück, sondern ließ sie, vor allem was das *Buch der Lieder* (1827) angeht, bis auf wenige Beispiele bereits irgendwo anders drucken, bevor er sie in diese Sammlung aufnahm. In seiner ersten Buchveröffentlichung, den *Gedichten* von 1822, in den *Tragödien, nebst einem lyrischen Intermezzo* von 1823 und in den verschiedensten Zeitschriften sowie in den ersten beiden *Reisebilder*-Bänden hatten sie vorab ihren Platz. Die Gedichtsammlung *Buch der Lieder* zog dann die Summe und hielt fest, was schon längst zirkulierte und seine Anhängerschaft gefunden hatte. Das zeigte sich bei seinem Altersgenossen Franz Schubert, der das *Buch der Lieder* vor seinem Tod 1828 gar nicht mehr kennen gelernt und dennoch einige Lieder daraus vertont hat.

Buch der Lieder

Hamburg: Hoffmann und Campe, 1827

Vgl. S. 34 u. S. 122 f.

Das *Buch der Lieder* hat insgesamt fünf Abteilungen, in die die Verse aus den *Gedichten* und den *Tragödien, nebst einem lyrischen Intermezzo* relativ problemlos als erste Zyklen eingehen konnten. Bei der Übernahme der »Jungen Leiden« aus den *Gedichten*, die die erste Abteilung bilden, ist der Wechsel zwischen dem thematisch wie inhaltlich begründeten Obertitel und dem Großteil der Untertitel auffallend. Denn die darin enthaltenen Unterzyklen sind mit Ausnahme der ebenfalls mit einer sprechenden Überschrift versehenen »Traumbilder« schlicht und einfach nach ihrer Form »Lieder«, »Romanzen« und »Sonette« benannt. Sämtliche frühen Texte hat Heine mit sicherem Gespür überarbeitet, die Byron-Übersetzungen dagegen als fremde, wenn auch prägende Arbeiten weggelassen.

Dann folgen die insgesamt 66 Gedichte des »Lyrischen Intermezzos« aus der bis dahin zweiten eigenständig erschienenen Publikation, deren Titel damit weiterhin lebendig bleibt. Diesen für die weltweite Anerkennung des Dichters so wichtigen Versen, die zum Beispiel das zum Klassiker gewordene »Ein Jüngling liebt ein Mädchen« enthalten, schließt sich »Die Heimkehr« an, deren Vorform in der Berliner Zeitschrift *Der Gesellschafter* aus 33 Gedichten bestanden hatte. Nun, seit dem Erstdruck im ersten *Reisebilder*-Band, waren sie auf 88 vermehrt worden. Das zweite Gedicht dieses Zyklus hat den so oft bei Heine beobachtbaren volksliedhaften Ton besonders getroffen: Heines Variante des Loreley-Themas mit dem Anfang »Ich weiß nicht was soll es bedeuten« (B I, S. 107)

Loreley-Gedicht, vgl. S. 124

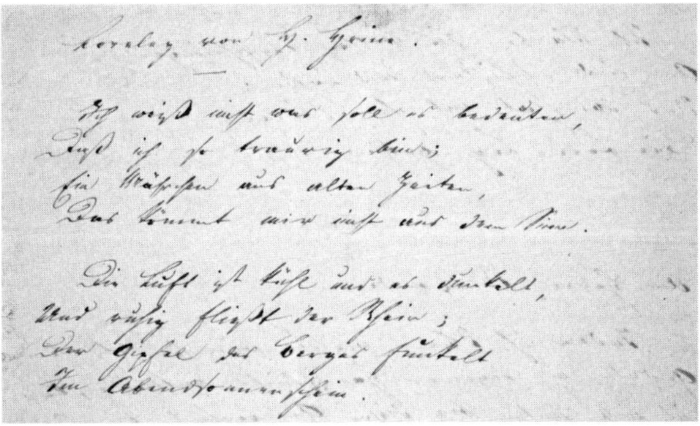

Die beiden ersten Strophen des Loreley-Gedichts in einer eigenhändigen Abschrift für Alexandre Vattemare, Paris, 1. Mai 1838

wurde zu Recht weltberühmt. Die Imagination der Rheinlandschaft, eine Personifikation des Sonnenunterganges in Gestalt der goldenen Loreley mit ihrem Sirenengesang, die Sehnsucht des Betrachters und sein Tod in den Fluten wurden in diesem Gedicht zusammengefügt. Verschmolzen wurde die Geschichte mit den Gefühlen des den Ort und die damit verknüpfte Sage beschwörenden Ich-Erzählers, dessen vage seelische Verfassung vom anfänglichen Nichtwissen und abschließenden Glauben den Rahmen bildet.

Den vierten Zyklus bilden die Gedichte »Aus der Harzreise«, bevor dann der Band seinen Abschluss mit der »Nordsee« findet, freirhythmischen, geradezu hymnischen Prosagedichten in zwei Unterabteilungen, so dass sich hier wieder insgesamt

22 Gedichte ergeben. Einigen Titeln und Texten aus dem *Buch der Lieder* ist der Zusammenhang mit Heines übrigem Schaffen, seien es die Tragödien, der *Rabbi von Bacherach* oder die *Reisebilder* mit *Harzreise* und *Nordsee*-Prosa, sofort anzusehen. Gerade durch solche Verwandtschaften vermittelt sich dem Publikum der Eindruck, es habe mit Heines Gesamtwerk einen einzigen Gobelin vor sich, an dem auf verschiedenste Art und Weise vom Verfasser gewirkt wurde.

Heine nimmt in seinen Gedichten die Romantik auf, bis hin zu ihrer sogenannten schwarzen Seite samt Phantastereien, Doppelgängern und Todessehnsüchten. Insofern ist manches konventionell und verwechselbar. Oft ist die Gruppierung wichtiger als das Einzelgedicht, das sich einer größeren Einheit unterordnet und nur eine der möglichen Variationen darstellt. Heines Leistung besteht jedoch bei noch so geläufigen Themen vor allem in der Brechung von Stimmungen; Sentimentalität wird nicht beiseite gelassen, sondern als Kontrast zum plötzlichen Wechsel ins Ironische oder Distanzierte eingesetzt. Ganz selbstverständlich stützt sich der junge Lyriker dabei auf frühere Muster: Wie der italienische Renaissancedichter Francesco Petrarca seine Laura anbetet, ohne sie zu erreichen, so seufzt der heinesche lyrische Sprecher in petrarkistischer Manier. Heines Töne klingen dabei oft so echt und verführerisch, dass lange Zeit bei seiner Liebeslyrik von biographischen Voraussetzungen ausgegangen wurde. Schließlich gab es ja in Hamburg mehrere Töchter seines Onkels Salomon Heine!

Petrarkismus

Kusinenliebe und Weltbeschreibung, vgl. S. 19 f.

Diese poetische Kusinenliebe trägt sämtliche artifiziellen Züge an sich; Verlangen, Unerreichbarkeit und Ablehnung bilden im Kontext der aus Tradition und eigener Erfindungsgabe gewonnenen Liebessprache die unüberhörbare Oberstimme. Eine solche Darstellung von Liebe und Liebesleid sollte man daher nicht, wie lange Zeit im positivistischen Forscherdrang üblich, ausschließlich vor Heines biographischem Hintergrund entschlüsseln. Allerdings bietet sie Heine die Möglichkeit, den persönlichen Anlass für eine komplexe Weltbeschreibung zu nutzen. Neben den todesmystischen Motiven sind auch übermütige und naturlyrische Elemente

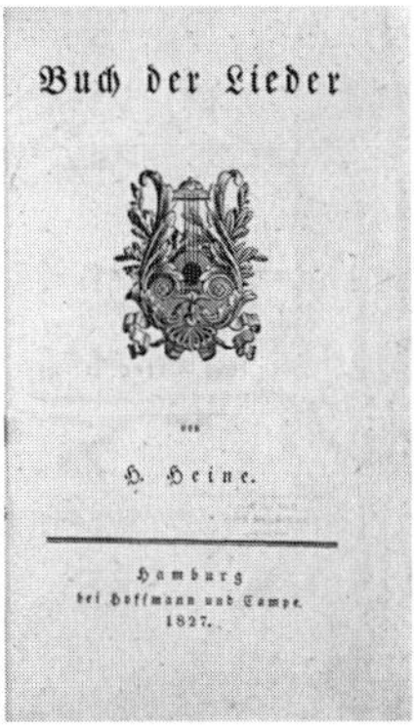
Buch der Lieder

von

H. Heine.

Hamburg
bei Hoffmann und Campe.
1827.

Titelblatt der Erstausgabe des *Buchs der Lieder*

vorhanden. Was für die frühen *Reisebilder* gilt, ist auch noch für das *Buch der Lieder* festzuhalten. Es handelt sich bei dieser Kunst einer Elite für Eliten immer auch um Studentenliteratur! Heine selbst achtete dennoch von Anfang an darauf, das elitäre Element bewusst zu durchbrechen und auf diese Weise so breite Leserschichten wie möglich zu erreichen. Die fünfte Auflage ist die maßgebliche, vom Autor selbst bei seinem zweiten Besuch in Hamburg 1844 durchgesehene Ausgabe. Ohne Zweifel hat Heine vor allem als Autor des *Buchs der Lieder* den Weg in die Weltliteratur beschritten.

Neue Gedichte

Hamburg: Hoffmann und Campe, 1844

Bereits 1838 hatte Heine seinem *Buch der Lieder* einen Folgeband als »Nachtrag zum Buch der Lieder« an die Seite stellen wollen, der in der Hauptsache Gedichte aus den Zyklen »Neuer Frühling« und »Verschiedene« sowie einige Beispiele aus den späteren Zyklen »Romanzen« und »Zeitgedichte«, aber zum Beispiel auch den Nachdruck der Tragödie *Ratcliff* enthalten sollte. Diese Texte, die schließlich zum größten Teil schon verstreut gedruckt vorlagen, bevor es 1844 zur Ausgabe der *Neuen Gedichte* kam, zeigen Heines Entwicklung vom Liebeslyriker zum ebenso leidenschaftlichen wie skeptischen Erotiker, weiterhin vom poetischen Erzähler zum endgültig wie eindeutig politischen Verskünstler.

Vermischte Lyrik, vgl. S. 45

Insofern haben die *Neuen Gedichte* von 1844 in jedem Sinn zu einer veränderten und neuen Sprechart gefunden. Der Band enthielt, um die 20-Bogen-Grenze, also einen Buchumfang von 320 Seiten, zu erreichen und damit der üblichen Vorzensur bei kleineren Druckwerken zu entgehen, auch das Versepos *Deutschland. Ein Wintermärchen.* Der eigentlichen Bücherzensur konnte dann durch rasche Auslieferungen wenigstens vorgegriffen werden. Das *Wintermärchen* erschien seinerseits obendrein noch separat und erhielt ein eigenes Vorwort. Die ursprüngliche Zusammenstellung in den *Neuen Gedichten* ist trotzdem nicht nur äußeren Gründen verpflichtet, sondern programmatisch. Dadurch erlangte der Band seinen ausgesprochen politischen, brisanten, ja wie der Titel eher beiläufig verspricht, »neuen« Anspruch.

Zwar war nach Heines Ansicht lange Zeit in schönen Versen, auch in seinen eigenen, zu viel gelogen worden. Seine Gedichte aus der mittleren Periode, seine politischen Gedichte des Vormärz, haben dann aber jene Wahrhaftigkeit gefunden, für die Heine neben den früheren lyrischen Texten ebenfalls berühmt geworden ist. Davon gibt es allerdings, auch über die *Neuen Gedichte* hinaus, nur etwa 30. Die – in Parallelität zu den »Romanzen« – genau 24 »Zeitgedichte«, eine damals geläufige Umschreibung für derartige Texte, wie sie der gleichnamige Zyklus enthält, stellen sogar manchmal nur bedingt politische Lyrik dar, denn Heines lyrische, auf seine Gegenwart und deren Zustände bezogenen Texte unterscheiden sich einesteils durch ihre Schärfe, andererseits durch ihre Weltläufigkeit von den gereimten Appellen seiner Kollegen wie Georg Herwegh, Heinrich Hoffmann von Fallersleben, der das Deutschlandlied verfasst hat, oder Ferdinand Freiligrath.

Heines »Zeitgedichte«

Wichtige Beispiele sind die »Nachtgedanken« oder Heines Gedicht über »Die schlesischen Weber« von 1844, das wegen seiner deutlichen Anklage in keine zeitgenössische Sammlung aufgenommen werden konnte.

»Denk ich an Deutschland in der Nacht,
Dann bin ich um den Schlaf gebracht,
Ich kann nicht mehr die Augen schließen,
Und meine heißen Tränen fließen.«

(Heinrich Heine, erste Strophe der »Nachtgedanken«; B4, S.432)

Eigens genannt werden muss das Gedicht »Der Tannhäuser« aus dem Zyklus »Verschiedene«. Die drei Abschnitte umfassende Reisebeschreibung war zuerst in Heines Studie über die *Elementargeister* im dritten *Salon*-Band aus dem Jahre 1837 erschienen. Hier wird die Schilderung der Deutschland-Reise von 1843 in aller Kürze vorweggenommen: Dem edlen Tannhäuser, der sich in den Fängen der schönen Herrin im Venusberg befindet, wird für eine Reise »Urlaub« (B4, S.350) gewährt. Paris als Venusberg, dem Heines Freundin und zukünftige Frau

Mathilde vorstand, und der Vergnügungsort gleichen Namens in Hamburg, mit dessen Erwähnung der Bericht des Tannhäusers abrupt endet, werden auf selbstironische und zugleich tragische Weise verknüpft. Richard Wagner verdankte diesen Strophen die Anregung zur gleichnamigen Oper.
Die *Neuen Gedichte* resümieren Erfahrungen aus mehreren Jahrzehnten, erlangen dabei allerdings nicht jene Geschlossenheit, wie sie beim *Buch der Lieder*, aber auch beim dritten Lyrikband, dem *Romanzero*, vorherrscht. Ihre endgültige Form ergab sich erst bei der dritten Auflage von 1852, in der den »Romanzen« die vermischten Texte »Zur Ollea« nachgeschoben wurden, deren Titel auf ein spanisches Nationalgericht anspielt. Um nach dem Wegfall des *Wintermärchens* den Band vor der Zensur zu schützen, wurde endlich, wie schon 1838 geplant, in die dritte Auflage der *Ratcliff* mit seiner »großen Suppenfrage« (B 1, S. 340), der Frage nach der Bekämpfung von Armut, aufgenommen. Damit verwies Heine auf seine – jedenfalls 1852 von ihm selbst so interpretierten – sozialkritischen Anfänge, während er mit den Gedichten »Zur Ollea« aus der Zeit nach 1844 bereits auf die skeptischen Töne des *Romanzero* vorausdeutete.

Romanzero

Hamburg: Hoffmann und Campe, 1851

Der *Romanzero* von 1851 enthält drei Bücher, die Heines Spätzeit auf treffende Weise charakterisieren. 21 »Historien«, 36 »Lamentationen« und drei »Hebräische Melodien« spiegeln das Spätwerk eines im Übrigen nach heutigen Maßstäben gar nicht einmal so alten Dichters, der sich vom schönen Leben verabschiedet hat und dessen Alltag aus den Kalamitäten des Krankenzimmers besteht. Der verlagsstrategisch fulminant angekündigte Band fand trotz seiner hohen Auflagen von insgesamt 20 000 Exemplaren und seiner weiten Verbreitung nur bedingtes Verständnis. Die Zensur tat das Übrige. Vgl. S. 67 f.
Das Publikum hatte schon das *Buch der Lieder* erst nach einer Weile schätzen gelernt, und noch viel mehr traf und trifft das auf den *Romanzero* zu, dessen besondere Perspektive und lyrischer Reichtum es verdienen, stärker beachtet zu werden. Der

Dichter hat mit Hilfe ausgesuchter Anekdoten ganze geschichtliche Welten von skeptischer Komik oder tragischem Ernst eröffnet. Man denke an das kurze Gedicht über den Sklaven aus dem Stamm der Asra, welche »sterben, wenn sie lieben« (B 6/I, S. 41); so lautet das Geständnis vor der Sultanstochter beim abendlichen Zusammentreffen am Brunnen. Heines lyrische Zustandsberichte zur eigenen Situation, seine Klagen in Anspielung auf den Propheten Jeremias, erreichen eine selten zu beobachtende Dichte wie existentielle Freiheit. Sein eigener Stern, heißt es im Gedicht »Jetzt wohin?«, habe sich im »güldnen Labyrinth« am Himmel vielleicht ebenso verirrt wie der Dichter sich im »irdischen Getümmel« (B 6/I, S. 102). Die letzte Lamentation, das Gedicht »Enfant perdu«, beschreibt den verlorenen Posten im Freiheitskrieg der Menschheit, auf dem Heine 30 Jahre ausgehalten habe. Doch sind die Waffen nicht gebrochen: »Nur mein Herze brach.« (B 6/I, S. 121) Die drei Gedichte aus dem jüdischen Kontext im dritten Zyklus des *Romanzero*, den »Hebräischen Melodien«, behandeln die alltägliche Armut eines Handelsjuden und den religiösen Glanz seiner Frömmigkeit (»Prinzessin Sabbat«), den hervorragenden jüdischen Dichter aus der spanischen Blütezeit »Jehuda ben Halevy« und dessen Tod im Angesicht Jerusalems sowie den christlich-jüdischen Glaubensstreit am spanischen Hof („Disputation«). Die Texte weisen eine ungeahnte Bandbreite von Anteilnahme, Selbstbefragung und ironischer Distanz auf.

Auf verlorenem Posten

Heine beherrschte die Kunst der Vor- und Nachworte auch im Falle der verschiedenen Auflagen seiner Gedichte. Von besonderer Qualität ist das »Nachwort zum Romanzero«, weil es in bisher nicht da gewesener Offenheit die körperliche und seelische Verfassung des Autors schildert. Heines sogenannte Bekehrung wird hier ebenso deutlich wie souverän als Resultat seiner Bibellektüre dargestellt.

Späte Gedichte und Lyrik aus dem Nachlass

Es hätte noch einen vierten eigenständigen Gedichtband geben können. Dafür war Heine aber schon zu schwach. Die *Gedichte. 1853 und 1854* aus dem ersten Band der *Vermischten*

Schriften von 1854, die dieser Textsammlung ihren lyrischen Schmelz verleihen, wie Heine es früher auch mit den Gedichtbeigaben im Fall der *Reisebilder* und des *Salon* gehalten hatte, schließen an den *Romanzero* an, führen gleichzeitig aber über ihn hinaus. Zusammen mit zahlreichen Gedichten aus dem Nachlass bilden sie ein Vermächtnis eigentümlicher Art, wie es innerhalb der deutschen Lyrik selten zu finden ist. Die späten Gedichte stellen eine harte Kost dar, indem sie den Kreis von Verzweiflung und Souveränität abschreiten.
Unter anderem erhält die Gestalt des Lazarus, der schon in den »Lamentationen« des *Romanzero* eine Rolle spielt, ihre weitere Ausgestaltung. Es sind Gedichte von Krankheit und Leiden, Desillusion und Melancholie, aber auch satirische Töne fehlen nicht. Die politischen Verhältnisse werden von Heine weiterhin scharf beobachtet. Die Fabeln nehmen Probleme aufs Korn, die auch heute nicht gelöst sind. Mit dem Zeitgedicht »Die Wanderratten« aus dem Nachlass hat Heine beispielsweise eine der großen und beunruhigenden Visionen zur Globalisierung verfasst.

Tragödien

Offenbar fühlte sich der junge Dichter zum Dramatiker berufen und wollte sich damit in die Tradition des durch seinen Bonner Lehrer August Wilhelm Schlegel vermittelten Shakespeare und in die Nachfolge Lessings, Goethes, Schillers und Kleists einreihen. Das ist ihm zwar misslungen, aber dennoch ist es mehr als recht und billig, für seine beiden Jugendtragödien eine Lanze zu brechen. Er selbst war von ihrem autobiographischen sowie ideengeschichtlichen Wert überzeugt und ließ beide Stücke mit ihren fünffüßigen Jamben nicht um-

Eine Lanze für die Tragödien

»Haben uns nun die beiden Tragödien keinen vollen und reinen Genuß gewährt, so sind wir von dem aus sechs und sechszig kleinen Liedern bestehenden *lyrischen Intermezzo* desto mehr befriedigt worden.« (Aus einer Rezension im *Literarischen Conversations-Blatt* vom 13. Juni 1823; zit. n. Galley/Estermann 1, S. 112)

sonst 1823 als Schwerpunkt in seiner zweiten Buchpublikation *Tragödien, nebst einem lyrischen Intermezzo* erscheinen. Die Forschung hat sie bedauerlicherweise nur am Rande zur Kenntnis genommen, obwohl beide Tragödien aufs Engste mit dem Motivbereich von Heines gleichzeitigem lyrischen Schaffen zusammenhängen.

Almansor

In: *Tragödien, nebst einem lyrischen Intermezzo*, Berlin: Dümmler, 1823

Vgl. S. 24 Das Drama *Almansor* in acht Szenen, eine Liebes- und Selbstmordgeschichte, spielt während der spanischen Reconquista nach Vertreibung der Mauren. Religionsunterschiede zwischen dem aus Nordafrika nach Spanien zurückkehrenden gläubigen Muslim Almansor, dem der alte Diener Hassan gar von der Verbrennung des Korans auf dem Marktplatz von Granada berichtet, und der christlich gewordenen Zuleima alias Donna Clara verhindern eine glückliche Vereinigung der beiden wie füreinander geschaffenen jungen Menschen. Sie sind nach dem Plan ihrer Eltern jeweils an Kindesstatt im Haushalt der zukünftigen Schwiegereltern aufgewachsen, um eine unauflösbare Nähe zu erreichen, aber die politischen Verhältnisse, die Vertreibung der Mauren bzw. ihre Zwangschristianisierung, haben die gemeinsame Zukunft zerstört. Die ins Auge gefasste christliche Ehe Zuleimas mit einem Glücksritter wird durch Almansors und Zuleimas Flucht vereitelt. Beide finden zwar in der von Natur und Eltern ihnen geschenkten Liebe zueinander, können den Konflikt durch die trennenden, ja feindlich einander ausschließenden Religionen jedoch nicht lösen. Almansor erwägt gar die Konversion, um Zuleimas christlicher Überzeugung durch den gemeinsamen Glauben zu entsprechen. Was am Schluss ein frohes Wiedersehen mit Almansors Vater hätte sein können, der ja, ebenfalls konvertiert, als Vater Zuleimas gilt, wird durch Missverständnisse zum tödlichen Drama. Insofern gehört der *Almansor* zu den Schicksalstragödien, die damals im Schwange waren. Die religiöse Problematik wäre trotzdem ohne seelischen Zwang eines der Beteiligten nicht aufzulösen gewesen.

Die Liebesgeschichte endet wie bei Shakespeares *Romeo und Julia*, wo sich allerdings nur zwei Familien und nicht etwa zwei Religionen feindlich gegenüberstehen, unweigerlich im frühen Tod.
Das Stück ist ein Ergebnis aus damals verbreiteter Orientsehnsucht und heineschem Rollenspiel. Vor dem Hintergrund der spanischen Re-Christianisierung hat Heine die eigene unerquickliche Situation als Jude in der christlichen Gesellschaft thematisiert. Die spätere Taufe am Ende seines Studiums sollte einen solchen Zwiespalt beseitigen, aber Heines Erwartungen wurden nicht erfüllt. Das Stück behielt somit Recht. Heine setzte freilich sein Leben, dazu noch ziemlich erfolgreich, fort, doch dessen Schwierigkeiten ließen sich im Großen und Ganzen besonders auf den Konflikt von Herkunft und Anpassung zurückführen. Sogar der Misserfolg des *Almansor* auf der Braunschweiger Bühne des bekannten Theaterdirektors Ernst August Klingemann beruhte darauf, dass ein übelgesinnter Zuschauer den Verfasser mit einem Namensvetter verwechselte. Die Darbietung wurde ausgepfiffen. Von dieser Schmach hat sich der Autor nicht wieder erholt und – von einem Zitat aus dem *Almansor* im *Buch Le Grand* abgesehen –, das dort »unsterblich« (B 2, S. 252) genannte Stück zu den Akten gelegt.

William Ratcliff

In: *Tragödien, nebst einem lyrischen Intermezzo*, Berlin: Dümmler, 1823

Ausdauernder verhielt Heine sich bei der Schicksalstragödie in einem Akt *William Ratcliff*. In seiner späten Bemerkung im Vorwort zur dritten Auflage der *Neuen Gedichte*, wo das Stück als offenbar passend empfundener Lückenbüßer statt des *Wintermärchens* eingefügt wurde, betont er gerade die große Suppenfrage, die den Hunger in der Welt betrifft. Dafür stelle das frühe Werk einen Beleg dar. Eine solche Selbstauslegung macht klar, wie sehr der Autor seine literarischen Früchte als Einheit begriffen sehen wollte.

Die große Suppenfrage, **vgl. S. 67**

Der Ton besitzt nicht mehr die trotz der unvermeidlichen Tragik herrschende geradezu zärtliche Sanftheit des ersten

Stücks; die Handlung hat sich ganz dem nur noch psychologisch aufzulösenden Geisterwesen ergeben. Die Tragödie spielt in Schottland, wo der Titelheld nacheinander die jeweiligen Verlobten seiner Geliebten Maria MacGregor ermordet. Marias Mutter hat bereits eine unglückliche Liebesgeschichte mit Ratcliffs Vater erlebt; die Tragödie pflanzt sich also von Generation zu Generation fort. Vom letzten Verlobten wird der Dramenheld endlich besiegt und bringt sowohl Maria als auch deren Vater und sich selber um. Liebe und Tod, gelegentlich ergänzt durch den Wahnsinn, bleiben bei Heine bis zuletzt untrennbare Gewalten. Sein Stück machte wirklich keine Furore. Immerhin hat es, und sei es durch musikalische
Vgl. S. 125 Adaption, gelegentliches Interesse hervorgerufen.

Versepen

Heine nutzt bei seinen Versepen eine überlieferte lyrische Erzählform. Gleichzeitig läutet er damit auf artifiziell gekonnte, wenn auch (was man bei ihm nur schwer glauben mag) der härtesten Manuskriptarbeit verpflichtete und im Ergebnis überzeugendste Weise ihr Ende ein. Interessant ist dennoch, dass gerade in Form eines Versepos Gottfried Keller mit dem *Apotheker von Chamouny* auf den *Romanzero* reagierte, während Wolf Biermann fast 130 Jahre nach Erscheinen des *Wintermärchens* sowohl das Genre als auch den Titel nutzte, um die Zustände in der DDR anzuprangern.

»Gegen diesen Heinrich Heine wütet nicht etwa mein liebender Verstand, aber doch ein vernunftgeprügeltes Herz. Ich neide dem Dichter das bezaubernde Gutmenschmärchen aus der Kinderzeit des Kommunismus, und dies Märchen heißt: Zuckererbsen für Jedermann. Wir Nachgeborenen mussten diese geniale Illusion ausbaden. Wir sind schändlich gescheitert und müssen mit dem Absturz der Utopie weiterleben.« (Wolf Biermann in seiner Rede zur Eröffnung des Internationalen Heine-Kongresses 1997 in Düsseldorf; zit. n. Kruse/Witte/Füllner 1999, S. 1)

Deutschland. Ein Wintermärchen

Hamburg: Hoffmann und Campe, 1844

Im 1844 erschienenen Versepos *Deutschland. Ein Wintermärchen* bringt Heine in 27 Kapiteln seine Reiseeindrücke der ersten, nach zwölf Jahren der Abwesenheit von Deutschland unternommenen Reise auf den Punkt. In dieses Poem gehen Vaterlandsliebe und Kritik an der Heimat gleichermaßen ein. Die Stationen entsprechen dabei übrigens denen von Heines tatsächlicher Rückreise. Tonlage, geschilderte Begegnungen und dabei gesammelte Erfahrungen bilden eine Symbiose, die ihresgleichen sucht. Das oft als Großgedicht verstandene Werk mit seinen vierzeiligen Strophen und überraschenden Reimen erreicht jene Eingängigkeit, die als radikal und dennoch gelegentlich auch als uneindeutig und gebrochen empfunden wurde. Wie Martin Luther hatte Heine dem Volk aufs Maul geschaut und darum die modulationsfähige Volksliedstrophe gewählt. Die deutlichen politischen Schlussfolgerungen und süffisanten Schärfen haben sich neben der dagegen harmlos und privat wirkenden Lyrik des *Buchs der Lieder* und den tief gefühlten Anfangszeilen der »Nachtgedanken« am nachhaltigsten in das Lesergedächtnis eingeschrieben. Der kluge Varnhagen notierte am 15. Oktober 1844 im Tagebuch, jedermann gestehe, dass der neue Band »von größtem Genius« zeuge, dass Heine »mit Recht sich einen Sohn von Aristophanes nennen« könne (zit. n. B 4, S. 1019); die Dichter fügten dem Könige großen Schaden zu.

Vgl. S. 58 f.

Das Epos lässt sich in mehrere größere Partien vom Aachener Grenzübergang bis zum satirischen Ende bei der Schutzgöttin Hammonia in Hamburg einteilen. Was als Hochzeitslied für die Vermählung der jungen Europa mit dem Genius der Freiheit beginnt, über Köln, Hagen, Unna, den Teutoburger Wald und Minden sich als von Heimatliebe grundierter Albtraum fortsetzt, den nun einmal Zensur und Enge bestimmen, endet als Farce im Stübchen der vom puren Rum abhängigen Stadtgöttin. Sie möchte den Dichter zur Rückkehr in die alte Heimat bewegen, aber die dort herrschende Zensurschere schneidet ihm ins Fleisch, kastriert ihn gar, und die Gerüche aus dem Nachttopf der Göttin, die angeblich die

Zukunft Deutschlands vorausahnen lassen, führen zur Ohnmacht. Der Dichter kann sich am Ende nur auf den antiken griechischen Kollegen Aristophanes und auf die Macht der Literatur berufen, die sämtliche widrigen Vergehen der Obrigkeit langfristig festhält, offen legt, anklagt und so gesehen der Hölle überantwortet.

Heine als Aristophanes

»Das alte Geschlecht der Heuchelei
Verschwindet Gott sei Dank heut,
Es sinkt allmählig ins Grab, es stirbt
An seiner Lügenkrankheit.«

(Heinrich Heine, *Deutschland. Ein Wintermärchen*; B 4, S. 641)

Heines Sichtweise ist kritischer geworden. Das zeigt sich besonders an der Darstellung des Kölner Doms im vierten Kapitel, den er mittlerweile für das Symbol der geistigen und politischen Unterdrückung, für »des Geistes Bastille« (B 4, S. 584) hält, obwohl er wenige Jahre zuvor im Pariser Dombauverein noch für dessen Vollendung eingetreten war. Mittlerweile aber ist er überzeugt, dass die unselige Verquickung von Thron und Altar in Deutschland, die der Freiheit schier unlösbare Fesseln angelegt hat, im Kölner Dom ein eindrucksvolles alt-neues Symbol erhalten soll; die Traumsequenz im siebten Kapitel mit den Heiligen Drei Königen, deren Reliquien Heines Überzeugung nach im Dom als »Skelette des Aberglaubens« (B 4, S. 595) und der Vergangenheit aufbewahrt und von seinem Alter Ego, dem Liktor, zerschmettert werden, gehört im selben Zusammenhang gleichfalls zu den eindrücklichen religionskritischen Passagen in Heines Werk.

Seine Schilderungen der Reisestationen und imaginären Begegnungen mit dem Vater Rhein in Köln, mit Barbarossa im Kyffhäuser und der Stadtgöttin Hammonia im Hamburger Schlussteil spannen aus der Sicht des sehnsüchtigen Besuchers den Bogen vom deutschen Mittelalter bis in eine düstere Zukunft. Die Ambivalenz seines prophetischen Berufs als Schriftsteller zeigt sich irritierend gerade im siebten Kapitel bei der Begegnung mit dem Liktor oder Doppelgänger in Köln, der die tatkräftige Umsetzung der heineschen aufklärerischen Gedanken verkörpert, während aus der Brust des Dichters beim Zerstörungswerk im Kölner Dom schließlich »Blutströme« (B 4, S. 595) hervorschießen und er plötzlich aus dem Traum erwacht. Ähnlich Widersprüchliches erfährt der

Gedanke und Tat

Leser im zwölften Kapitel, als der Erzähler im nächtlichen Teutoburger Wald mit einem Rudel hungriger Wölfe zusammentrifft, dem er, obwohl er zuweilen den »Schafspelz« (B 4, S. 604) umgehängt hat, seine Zugehörigkeit beteuert und wölfische Solidarität im Kampf für die Gerechtigkeit verspricht.

Atta Troll. Ein Sommernachtstraum

Hamburg: Hoffmann und Campe, 1847

Vgl. S. 58

Auch das Versepos *Atta Troll. Ein Sommernachtstraum* verdankt seinen Titel einer Anlehnung an Shakespeare. Heines Aufenthalt in den Pyrenäen 1841 bietet den äußeren Anlass für die Verserzählung, so wie seine Deutschland-Reise beim *Wintermärchen*. Reiseerlebnisse und Reisevorhaben sind also für diese beiden wie auch für Heines letzte epische Unternehmung *Bimini* die Voraussetzung. Den *Atta Troll* zeichnet im Unterschied zu den zwei anderen Versepen die Zugehörigkeit zur beliebten Tiererzählung aus, die immerhin gerade auch im Gewande des Epos zu den langlebigen Literaturtraditionen gehörte. Goethes *Reineke Fuchs* bietet dafür ein gutes Beispiel. Darüber hinaus besaß Heine ein besonderes Gespür für das komische Epos und ein herausragendes Interesse, was dessen Lektüre wie den mündlichen Vortrag betraf.

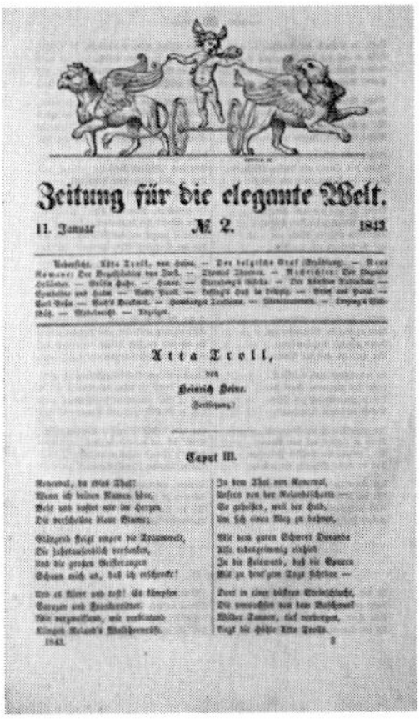

Zeitung für die elegante Welt.

11. Januar №. 2. 1843

Atta Troll,

von

Heinrich Heine.

Caput III.

Der *Atta Troll* in seiner ersten Fassung, abgedruckt 1843 in der *Zeitung für die elegante Welt*

Schon ein Jahr vor Erscheinen des *Wintermärchens* 1844 wurde sein sommerliches Gegenstück in Laubes *Zeitung für die elegante Welt* von 1843 abgedruckt, lag aber dann in der endgültigen Fassung 1847 erst nach ihm vor. So könnte man folgern, mit dem *Atta Troll* hätten die heinesche Kunst, seine Unabhängigkeit und das poetische Gewissen über die politischen Verhältnisse und die auf den Tag bezogene Dichtung den Sieg davongetragen. Zugleich ist mit diesem Epos sein von ihm selbst reflektierter und dem Freunde Varnhagen gestandener Abschied von der Romantik verbunden. Diese hatte im europäischen Kontext allerdings eine umfassendere Lebensdauer und verließ auch Heine bis zu seinem Lebensende nie ganz. Dass der *Atta Troll* eine bewusste Parallele zum *Wintermärchen* darstellen sollte, zeigt sich in den ebenfalls 27 »Capita«. Heine benutzt diesmal allerdings nicht die Volksliedstrophe, sondern den kunstvollen, vierhebigen reimlosen spanischen Trochäus.

Abschied von der Romantik?

Die Handlung ist ebenso phantasievoll wie lehrreich. Da der Erzähler alles hautnah miterlebt, kann er dem Publikum die verlässlichsten Auskünfte geben. Ein Tanzbär namens Atta Troll entflieht ins Gebirge und muss seine Frau, die schwarze Mumma, zur weiteren Belustigung der Menschen zurücklassen. Er kehrt zu seiner Höhle und den einsamen vier männlichen und zwei weiblichen Jungen zurück. Ihnen hält der Bär die revolutionärsten vormärzlichen Reden gegen die Menschen. Seine Worte enthalten einen wahren Kern von notwendiger Sozialkritik, die unter anderem Eigentum und Besitz angreift. Insofern bleiben die Reden des Tanzbären aktuell, genauso allerdings die erläuternden Kommentare des Erzählers, der die radikal-idealistische Position einerseits formuliert, andererseits jedoch ironisiert und somit wiederum jene Ambivalenz erreicht, für die Heine ebenso berühmt wie berüchtigt ist. Der Bär wird schließlich vom Jäger Laskaro mit Hilfe von dessen über Zauberkräfte verfügender Mutter Uraka zur Strecke gebracht, während es die Bärenwitwe Mumma nach Paris verschlägt, und zwar in den Jardin-des-Plantes, wo sie ein Verhältnis mit dem dortigen Eisbären aus Russland beginnt. So spielt das Leben.

Sogenannte Ambivalenz

Das Privatleben des Erzählers, seine Herkunft aus Deutsch-

»Das ist das reizende Gedicht voll heitersten Geistes, feinsten Spottes, glänzendsten Witzes, sprudelnd von Poesie und Leben, voll tollen Uebermuthes, düstern Nachtspukes und lichter Poesie.« (Aus François Arnold Willes Rezension des *Atta Troll* in den *Hamburger Literarischen und Kritischen Blättern* vom 27. Februar 1847; zit. n. Galley/Estermann 9, S. 391)

land, Geschehnisse von allgemeinem Interesse und die Einbeziehung des Publikums gehören beim *Atta Troll* zum bekannten Muster der erfolgreichen und unterhaltsamen heineschen Schreibart. Wichtige poetologische Aussagen, wie sie dann im späten *Bimini* geradezu erschütternde Urständ feiern, ordnen sich in den Kontext ein.

Bimini

(posthum)

Bimini, Heines drittes und letztes Versepos, blieb Fragment und wurde vom ersten Heine-Editor Adolf Strodtmann aus dem Nachlass herausgegeben. Es erschien 1869 in einem Supplementband zu den *Sämmtlichen Werken*, der den Titel *Letzte Gedichte und Gedanken* trug. Die Strophenfolge scheint mittlerweile einigermaßen schlüssig. Es handelt sich bei dieser Dichtung um die Sehnsuchtsreise des alt gewordenen Entdeckers von Florida, Juan Ponce de León, zur vermeintlichen Insel der ewigen Jugend namens Bimini. Er befindet sich in Gesellschaft der alten Indianerin Caca. Natürlich ist das Zauberreich aus Jungbrunnen und ewigem Leben nicht zu erreichen. Anklänge an die bizarre Pyrenäenwanderung des Dichters im *Atta Troll* sind spürbar, so dass wiederum geheime Fäden den Gobelin des Gesamtwerkes zusammenhalten. Groteske Schilderungen und melancholischer Grundton, Dichtungstheorie und fremdländischer Reiz gehen eine hinreißende Symbiose ein. Es ist ein Großgedicht über Täuschung und Tod, Exotik und Dichterberuf. Der kranke Heine hat sich durch Lektüre die Welt erschlossen und fasst ihre Wunder in einen neuen, in der Tat lesenswerten Rahmen. Aus seinen Lektürefrüchten, in diesem Fall aus dem Werk des von ihm bereits früh wahrgenommenen Washington Irving, weiß er poetisches Kapital zu schlagen. Trotz aller Phantastik siegt am Ende die Pragmatik des Lebens, das ohne seine Höhen und Tiefen, Abgründe und Gipfel keinen fassbaren Sinn besäße. Der jedoch ist der Schlüssel zur Unsterblichkeit oder wenigstens zum ewigen Vergessen.

Exotische Groteske

Prosa

Zur Besonderheit der zeitgenössischen Wirkung Heines gehört zweifellos zusätzlich zum Nebeneinander von Vers und Prosa in einem Sammelband auch die Verquickung verschiedenster vielstimmiger Textarten innerhalb eines einzigen Prosawerks. Gerade die Variabilität der heineschen Prosa bringt jedem Leser ›seinen‹ Schriftsteller mitsamt den von ihm beschriebenen Gegenständen näher; dabei kann er sich bei diesen Begegnungen auf ebenso angeregte wie ungezwungene Weise den Wechselbädern von Stil und Gefühlen aussetzen. Mit dieser Mixtur beginnt Heine in den erfolgreichen *Reisebildern* in vier Bänden (1826-1831), die jeweils mehrere Auflagen erlebten und denen die vier Bände des *Salon* (1834-1840) in Frankreich als passende Entsprechung zwanglos an die Seite treten. Vorher und nachher regten seine sonstigen zahlreichen Artikel und Charakteristiken das Publikum an. Ob *Französische Zustände* oder *Die romantische Schule*, seine Darstellungen aus Literatur, öffentlichem Leben und Politik sowohl in Zeitungsartikeln als auch Buchausgaben machten ihn zum deutschen Außenposten in Paris, bis seine dreibändigen *Vermischten Schriften* schließlich eine Lebenssumme zogen.

Eitelkeit oder Schreibprinzip?

Was wie eine ständige Selbstbespiegelung aussieht und ihm deshalb oft als Eitelkeit ausgelegt wurde, gehört zu seinem wichtigen lebenslangen Schreibprinzip. Man sollte sich diese Eigenschaft als besondere Begabung immer wieder klar machen: Heines Bemühung um ein autobiographisches Schaffen. Hier trifft er sich mit den Konfessionen von Augustinus bis Jean-Jacques Rousseau. Selbsterkenntnis und Standortbestimmung, Eingeständnisse von problematischen Verhältnissen, Schilderung des Erlebten als Beschreibung des Horizonts der eigenen Möglichkeiten gehen Hand in Hand. Diese Lebenserkundung findet auch dann statt, wenn er Ende der 1830er Jahre kleinere, subtile Nebenarbeiten als Einleitung zum *Don Quixote* von Cervantes und als Erläuterungen zu *Shakespeares Mädchen und Frauen* verfasst oder später zur Würdigung von Zeitgenossen wie Ludwig Börne oder Ludwig Marcus ausholt. Sie bildet den Hintergrund selbst bei Fragen der antiken wie germanischen Mythologie, die ihn

»Cervantes, Shakespeare und Goethe bilden das Dichtertriumvirat, das in den drei Gattungen poetischer Darstellung, im Epischen, Dramatischen und Lyrischen, das Höchste hervorgebracht.« (Heinrich Heine, Einleitung zum *Don Quixote*; B 4, S. 163)

von früh an interessierten. Die Bedingungen wie Vorstellungen ganzer Generationen zu Hoffnung, Frömmigkeit und Aberglauben, zu Schuld und Sühne besitzen ihren Platz im kollektiven Gedächtnis – ein Komplex, dem sich Heine durch intensive Studien und vermittelnde Darstellung nähert.

Heine als französischer Autor

Hingewiesen werden muss eigens auf die mit den deutschen Publikationen einhergehenden französischen Schriften. Bei ihnen handelt es sich durchaus nicht um einfache Übersetzungen, sondern sie nehmen in Komposition und Darbietung auf die anderen Erwartungen und Bedingungen des französischen Publikums Rücksicht. Im französischen Werk, wie es zum Schluss in der siebenbändigen Pariser Ausgabe bei Michel Lévy Frères aus den Jahren 1855 bis 1857 vorlag, zeigt sich ebenfalls Heines ausgeprägte Kompositionsgabe. Es spiegelt unter den fünf sprechenden Titeln *Reisebilder. Tableaux de voyage* und *De la France, Poëmes et Légendes* sowie *De l'Allemagne* und *Lutèce* das deutsch-französische Autorenschicksal Heines.

Das Titelblatt der 1855 bei Michel Lévy Frères erschienenen *Poëmes et Légendes*

Dass ein Autor wie Heine, der oft genug auf Angriffe wie auf aktuelle Vorkommnisse umgehend reagierte, manche Texte verfasst hat, die nur schwer einzuordnen sind (und hier auch nicht alle genannt bzw. besprochen werden können), versteht sich von selbst. In einem seiner Pläne für einen leider nicht in Erfüllung gegangenen Wunschtraum – eine eigene Gesamtausgabe zu Lebzeiten – hat er 1852 solche Publikationen auf drastische Art kurzerhand als »Kuddelmuddel« bezeichnet und das Wort »Rumpelkammer« benutzt (B 1, S. 628).

Reisebilder I-IV

Hamburg: Hoffmann und Campe, 1826-1831

Mit den *Reisebildern* in vier Bänden erreichte Heine den Durchbruch beim Publikum, auch wenn das *Buch der Lieder* lange Zeit und teilweise bis heute ohne Konkurrenz seine eigentliche nationale wie internationale Wirkung ausmacht. Die drei *Briefe aus Berlin* aus dem Jahre 1822 und der zweiteilige Bericht *Über Polen,* erschienen 1823, hatten als Fingerübungen gegolten. Schon in diesen beiden frühen journalistischen Berichten zeigt sich sein humaner und emanzipatorischer Anspruch. Programmatisch sind seine Schilderungen eines Maskenballs in Berlin mit seiner Absage an jede Form des Nationalismus im zweiten Brief und die Betrachtung über die Verhältnisse des jüdischen Bevölkerungsteils in Polen. Unmissverständlich schlägt der junge Autor sich auf die Seite der Schwächeren, beschwört die kosmopolitische Idee und bewundert die Stärke wie Aufrichtigkeit polnisch-orthodoxer Juden. Er weiß, dass solche Lebensform zu ihm nicht passt, aber er anerkennt eine von innen kommende Existenzbewältigung. Authentisches Verhalten und die Wahrung der Menschenrechte sind ihm bis zuletzt ein Anliegen.

Jugendlicher Kosmopolitismus

Heine ließ einmal erprobte Texte ungern im Stich. So fügte er wenigstens drei Teilstücke der *Briefe aus Berlin* in den zweiten *Reisebilder*-Band ein, darunter die Beschreibung, wie Carl Maria von Webers Oper *Der Freischütz* Furore machte und es in ganz Berlin kein Entrinnen vor dem »Lied der Brautjungfern«, dem populären »Jungfernkranz«, gab.

Die Harzreise

In: *Reisebilder* I, Hamburg: Hoffmann und Campe, 1826

Eigentliches Aufsehen machte Heine nach den *Briefen aus Berlin* erst mit der *Harzreise*, der Schilderung einer Fußwanderung von Göttingen durch den Harz. Sie weiß das Lob, ja die Entdeckung der freien Natur und eine ins Groteske getriebene Kritik an der Universitätsstadt köstlich miteinander zu verbinden. Satirische Betrachtungen der Philister (sprich Bürger) und das Lob der Ungezwungenheit und eigenen Freiheit gehörten zum Arsenal des damaligen Studentenlebens. Die

Natur gegen Stadt, **vgl. S. 29**

Der Gesellschafter
oder
Blätter für Geist und Herz.

1826. Freitag den 20. Januar. 11tes Blatt.

Harzreise; von H. Heine.

(Geschrieben im Herbst 1824.)

I.

Schwarze Röcke, seid'ne Strümpfe,
Weiße höfliche Manschetten,
Sanfte Reden, Embrassiren —
Ach, wenn sie nur Herzen hätten!

Herzen in der Brust, und Liebe,
Warme Liebe in dem Herzen —
Ach, mich tödtet ihr Gesinge
Von erlog'nen Liebesschmerzen!

Auf die Berge will ich steigen,
Wo die frommen Hütten stehen,
Wo die Brust sich frei erschließet,
Und die freien Lüfte wehen.

Auf die Berge will ich steigen,
Wo die dunkeln Tannen ragen,
Bäche rauschen, Vögel singen,
Und die stolzen Wolken jagen.

Lebet wohl, ihr glatten Säle,
Glatte Herren! glatte Frauen!
Auf die Berge will ich steigen,
Lachend auf Euch niederschauen.

Morgens sechs Uhr verließ ich Osterode. Diese Stadt hat mehrere Häuser, verschiedene Einwohner, worunter auch mehrere Seelen, wie in Gottschalk's „Taschenbuch für Harzreisende" genauer nach zu lesen ist. Ehe ich die Landstraße einschlug, bestieg ich die Trümmer der uralten Osteroder Burg. Sie bestehen nur noch aus der Hälfte eines großen, dickmaurigen, wie von Krebsschäden angefressenen Thurms. Der Weg nach Clausthal führte mich wieder bergauf, und von einer der ersten Höhen schaute ich nochmals hinab in das Thal, wo Osterode mit seinen rothen Dächern aus den grünen Tannenwäldern hervor guckt, wie eine Moosrose. Die Sonne gab eine gar liebe, kindliche Beleuchtung. Von der erhaltenen Thurmhälfte erblickt man hier die imponirende Rückseite. Wie doch solch grau verwittert Stück Ruine einen eigenen Zauber ausgießt über eine ganze Landschaft, und sie unendlich mehr verschönert, als all die neuen, blanken Gebäude mit ihrer jugendlichen Herrlichkeit! Auch länger als diese pflegt sich solche Ruine zu erhalten, trotz ihres morsch verfallenden Ansehns. Wie den Burgen geht's auch den alten Geschlechtern selbst.

Nachdem ich eine Strecke gegangen, traf ich zusammen mit einem reisenden Handwerksburschen, der von Braunschweig kam, und mir als ein dortiges Gerücht erzählte: der junge Herzog sey auf dem Wege nach dem gelobten Lande von den Türken gefangen worden, und könne nur gegen ein großes Lösegeld frei kommen. Die große Reise des Herzogs mag diese Sage veranlaßt haben. Das Volk hat noch immer den traditionell fabelhaften Ideengang, der sich so lieblich ausspricht in seinem „Herzog Ernst". Der Erzähler jener Neuigkeit war ein Schneidergesell, ein niedlicher, kleiner junger Mensch, so dünn, daß die Sterne durchschimmern konnten, wie durch Ossian's Nebelgeister, und im Ganzen eine volksthümlich barocke Mischung von Laune und Wehmuth. Dieses äußerte sich besonders in der drollig rührenden Weise, womit er das

Die Harzreise, erstmals abgedruckt 1826 in *Der Gesellschafter*

eingeschalteten Gedichte erreichen jene Tonlage, wie man sie beispielsweise aus Joseph von Eichendorffs Erzählung *Aus dem Leben eines Taugenichts* kennt. In der Philisterkritik stand Heine in der Tradition eines Clemens Brentano. Er wollte Romantiker sein und ist es auch in der Tat nicht nur in seinen Gedichten, sondern auch in Sprache und Gefühl gerade der *Harzreise* geworden.

Es handelt sich um keine Reisebeschreibung im üblichen Sinn, die eine eindeutige Reiseroute zum Nachwandern an die Hand gäbe. Dennoch sind einige Schilderungen wie die von Goslar mit seinem Rathaus oder die Beschreibung der Nacht auf dem Brocken selbst für den heutigen Besuch noch die lesenswerteste Untermalung. Versteckte Hinweise auf die eigene Situation zwischen den Religionen bringt Heine beispielsweise in der Schilderung von der Besteigung des Ilsensteins unter, während sich seine Überzeugung, als Ritter vom heiligen Geist die Welt wie die Mädchenherzen erobern zu können, in den Strophen eines der eingeschalteten Gedichte, der sogenannten zweiten »Bergidylle«, findet. Sie liefert obendrein eine Parodie auf Goethes *Faust*, so wie die ganze Wanderung und deren Darstellung auch als literarische Nachfolge auf den Spuren des Dichterfürsten, als prosaisch sommerliche Kontrafaktur von dessen Hymne »Harzreise im Winter« betrachtet werden könnte.

Ritter vom heiligen Geist

Die Nordsee. Dritte Abteilung

In: *Reisebilder* II, Hamburg: Hoffmann und Campe, 1827

Der zweite *Reisebilder*-Band von 1827 enthält die dritte Abteilung der *Nordsee* als Prosabeschreibung von Heines Norderney-Aufenthalt, während die beiden lyrischen Vorgänger aus dem ersten und zweiten *Reisebilder*-Band in das ebenfalls 1827 erschienene *Buch der Lieder* wanderten. Heine erreicht in der *Nordsee*-Prosa jene Süffisanz, die ihm auf der Insel übel angekreidet wurde. Der hohe Ton der freien Rhythmen aus den Gedichten ist in kritische Auslassungen umgeschlagen. Es geht um Religion, Goethe und Napoleon. Das grandiose Meer betrachtet er als seine eigene Seele. Die Geschichten vom Klabautermann und Fliegenden Holländer werden kurz in Erinnerung gerufen, vor allem aber handelt Heine schließlich über den hannoverschen Adel, der in seinem Dünkel angegriffen wird. So mündet die Geschichte vom Göttinger Schnellläufer, der sich in der Sonntagshitze zu Tode läuft, weil ihn der scherzhaft in Aussicht gestellte Lohn einiger junger Adliger auf ihren Pferden lockt, in der lakonisch-bitteren Bemerkung: »und es war ein Mensch« (B 2, S. 225). Heine beginnt diese Passage über die Jagd am Strand mit der Versicherung, die Zeiten, in denen auch Menschen gejagt wurden, seien gottlob vorüber; offenbar konnte er also seine Epoche trotz aller schlechten Erfahrungen und gesellschaftlichen Zwänge als halbwegs sicheres Zuhause ansehen.

Religion, Goethe und Napoleon

Weil er sich über die zeitgenössische Literaturmisere nicht selber aussprechen will – was in mancher Hinsicht vielleicht besser gewesen wäre –, schaltet er am Schluss der *Nordsee* III 37 gereimte Xenien seines »hohen Mitstrebenden« Karl Immermann ein, die auch fünf Verspaare über »Östliche Poeten« enthalten (B 2, S. 241 f.). Weder dieser Abschnitt noch die übrigen Reime zeichnen sich durch besondere Größe aus, sie wirken eher zufällig. Immermann hat anderswo sehr viel Besseres geleistet. Trotzdem entwickelte sich gerade daraus der große Literaturstreit mit dem sich angegriffen fühlenden August von Platen als Krieg unter Außenseitern, bei dem von keiner Seite ein Ruhmesblatt zu gewinnen war.

Immermanns Xenien

Ideen. Das Buch Le Grand

In: *Reisebilder* II, Hamburg: Hoffmann und Campe, 1827

Aus den *Reisebildern* II hat besonders Heines autobiographische Prosa *Ideen. Das Buch Le Grand* die Leser gefordert, denn das spielerische Element des Ich-Erzählers, der einer von ihm geschätzten jungen Frau aus seinem Leben erzählt, lässt Phantasmagorie und tatsächliche Verhältnisse durcheinander purzeln. Der Erzähler geriert sich als Graf vom Ganges, dessen frühes Liebeserlebnis teilweise in Venedig spielt, hauptsächlich aber berichtet er über seine Kindheit und Jugend am Rhein, vor allem in Düsseldorf, und an der Elbe in Hamburg, was mit der tatsächlichen Biographie Heines übereinstimmt. Besonders die Düsseldorfer Sequenzen und ihre ironischen Verweise auf die Wandelbarkeit politischer Verhältnisse besitzen einen eigenen Zauber.

Vgl. S. 32

Das Schicksal Napoleons auf St. Helena und die unglückliche Liebesgeschichte des Erzählers laufen parallel. Wie bei Heines Gedichten Zahlenverhältnisse eine Rolle spielen, gibt es auch hier in den 20 Kapiteln spiegelbildliche Verhältnisse, allerdings nur bedingt chronologische Abläufe. Die drei großen Themen Napoleon, die Liebe und der Beruf des Schriftstellers zwischen Vernunft und Narrheit zentrieren sich um das neunte und zehnte Kapitel: Napoleon stirbt auf St. Helena, und auch der französische Tambour Le Grand, der in Düsseldorf stationiert ist, sich mit dem jungen Protagonisten anfreundet und für ihn gewissermaßen der Statthalter des gro-

Historische und private Parallelen

ßen Napoleon wird, findet hier sein Ende. Dieser Passage entspricht das 18. Kapitel, in dem das Fiasko der Liebesgeschichte des Erzählers dargestellt wird. Das angebetete Mädchen namens Laura lehnt den jungen Mann ab. Petrarcas unglückliche Liebe ist also auch in diesem Stück romantischer Prosa gegenwärtig.

Nach dem katastrophalen Russlandfeldzug, den Napoleons Armee erlebt, durchsticht der Erzähler die Trommel des sterbenden Tambours mit seinem Degen. Damit hat er dessen Botschaft von Freiheit, Gleichheit und Brüderlichkeit nicht nur verinnerlicht, sondern trägt sie auch weiter. Heine hat das Motiv der Trommel und des Tambours, überhaupt militärische Anspielungen im Blick auf den Befreiungskrieg der Menschheit, häufiger als Metaphern für die eigene Aufgabe verwendet. Die tragische Weltgeschichte besitzt für ihn die Funktion der Angel, um die sich alles, gerade auch das eigene private Leben, dreht.

Anfang und Ende des *Buchs Le Grand* spielen mit dem Selbstmordmotiv. Der abgewiesene Liebhaber will sich in Hamburg erschießen, fühlt sich aber durch den Blick der Geliebten auf dem Weg zum Tode begnadigt und lässt sich deshalb auch selber, wie er erleichtert feststellt, am Leben. Seine Folgerung zu Beginn des dritten Kapitels lautet: »Und sie ließ mich am Leben, und ich lebe, und das ist die Hauptsache.« (B 2, S. 253)

Reise von München nach Genua

In: *Reisebilder* III, Hamburg: Hoffmann und Campe, 1830

Vgl. S. 35 f. Heines Italien-Reise von 1828 findet gleich mehrmals ihren Niederschlag, vor allem in den drei italienischen Schriften, die im dritten und vierten Teil der *Reisebilder* erschienen sind. Die erste nennt die Bewegung, die Reise in den Süden, auch gleich im Titel, die beiden anderen beziehen sich auf Heines Aufenthalt in Bad und Stadt Lucca. Seine *Reise von München nach Genua* schlägt gegenüber den vorausgegangenen Italienbüchern deutscher Schriftsteller einen neuen Ton an. Nicht mehr Geographie, Geologie und Archäologie sind die Favoriten der Beschreibung, sondern Geschichte, Religion und Volksleben bestimmen den Blick des modernen Reisenden.

Neuer Blick auf Italien

»Was ich über Italien denke, werden Sie daher spät oder früh gedruckt lesen. Der Mangel an Kenntnis der italiänischen Sprache quält mich sehr. Ich versteh' die Leute nicht und kann nicht mit ihnen sprechen. Ich sehe Italien, aber ich höre es nicht. Dennoch bin ich oft nicht ganz ohne Unterhaltung. Hier sprechen die Steine, und ich verstehe ihre stumme Sprache.« (Heinrich Heine in einem Brief vom September 1828 aus den Bagni di Lucca an Eduard von Schenk; HSA 20, S. 339)

Die Fragen zum Fortschritt in der Historie, zur Emanzipation der ganzen Welt sind vorherrschend. Sie beschäftigen den Autor, der sich spürbar von den Bedrängnissen durch die deutschen Verhältnisse löst. Der deutsche Sommer sei »nur ein grün angestrichener Winter« (B 2, S. 348), sagt er im 16. Kapitel in Trient der Obstfrau. Das italienische Klima (in jedem Sinn) besitzt eine befreiende Kraft. Je weiter er in das italienische Leben eindringt, umso glücklicher scheint er sich zu fühlen. Die Italiensehnsucht ist eben doch eine im Norden vorherrschende Krankheit, die nur durch den Aufenthalt im schönen Land selbst geheilt werden kann. Dabei bleibt aufgrund der sprachlichen Probleme die Begegnung mit den Einwohnern eher auf eine Besichtigung der Städte mit Personal reduziert. Trotzdem ergeben Heines touristische Erlebnisse und die damit verknüpfte Teilnahme am gesellschaftlichen Programm eine belebte, lebendige Bühne.

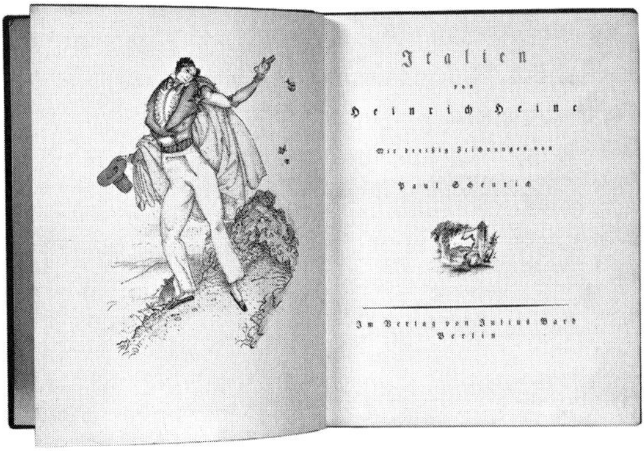

Titelblatt einer 1919 erschienenen Ausgabe der italienischen *Reisebilder* mit Zeichnungen von Paul Scheurich

Die Bäder von Lucca

In: *Reisebilder* III, Hamburg: Hoffmann und Campe, 1830

Hamburger Originale in Lucca

Die Bäder von Lucca, Karl Immermann zugeeignet, sind von humoristischem Reiz und konfrontieren anfangs auf spaßhafte Weise die italienische Umgebung mit Reisenden aus Hamburg und England. Die Fremde weckt bei Heine die abstrusesten Erinnerungen an zu Hause, und seine Gestaltung der Hamburger Originale sucht ihresgleichen. Da dümpelt der katholisch gewordene Baron Gumpelino in seiner zweiten Heimat herum, weil er sich die Kunst- und Naturerlebnisse als wohlhabender Bankier aus ehemals jüdischen Verhältnissen leisten kann; besseres Wetter und eine der Kunst ergebene Religion sind nicht zu verachten. Dazu sein Diener Hirsch-Hyazinth, der lieber jüdisch bleiben wollte, da ihm als Lotteriekollekteur und Beschneider von Hühneraugen beim Glücksspiel nicht einmal die Liedanzeigetafeln mit ihren Nummern in der protestantischen Kirche die richtigen Hinweise gegeben haben. Er weiß komische Geschichten zu erzählen und dient ebenso krampfhaft wie lächerlich der angeblichen Bildung. Für den alten Namen Hirsch wie den neuen Namen Hyazinth gilt dieselbe Initiale, eine Erfahrung, die auch der getaufte Schriftsteller H. Heine gemacht hat. Ferner ist die italienische wie englische Damenwelt zu bewundern, die dem dolce far niente die rechte Würze verleiht. Aus der angeblichen Harmlosigkeit des Beginns, der auf die Zerrissenheit Lord Byrons anspielt, entwickelt sich dann eine furiose Polemik gegen August von Platen. Heine antwortet hier auf Platens Versuch, ihn nach dem Eklat der immermannschen Xenien durch antisemitische Anspielungen zu diffamieren. Platen wird erstmals erwähnt als der Dichter, mit dessen Lektüre sich der Markese Gumpelino tröstet, nachdem er

> »In der Tat, er [Platen] ist mehr ein Mann von Steiß als ein Mann von Kopf, der Name Mann überhaupt paßt nicht für ihn [...]. Vielleicht aber würde der Graf Platen ein Dichter sein, wenn er in einer anderen Zeit lebte, und wenn er außerdem auch ein anderer wäre, als er jetzt ist.« (Heinrich Heine, *Die Bäder von Lucca*; B 2, S. 457 u. 459)

durch ein Abführmittel daran gehindert wurde, ein galantes Abenteuer zu bestehen. Diese Episode bereitet neben anderen Zeichen wie zum Beispiel den beiden Motti das problematische Ende, den eigentlichen Angriff auf Platen, vor.
Die Raffinesse Heines, was Metaphern und tiefsinnige Kompositionsgabe angeht, macht aus dem polemischen Text ein artifizielles ›Bubenstück‹, dessen Aufdröselung viel über zwar verborgene, aber dennoch entzifferbare sexuelle Signale der Heine-Zeit, wohl auch über Homophobie verrät. Heine wollte, wie er mehrfach andeutete, später die Platen-Episode aus der Schrift entfernen und diese somit vom Skandal reinigen, aber dafür war sie mit dem gesamten Text wohl doch zu eng verwoben. Jedenfalls scheint ihm der Vorgang leid getan zu haben.

Heines Homophobie?
Vgl. S. 37 f.

Die Stadt Lucca

In: *Reisebilder* IV, Hamburg: Hoffmann und Campe, 1831

Religionskritik beherrscht Heines drittes italienisches Reisebild *Die Stadt Lucca.* Es beginnt mit anthropologischen Betrachtungen über die menschliche Relativität, wenn Heine im zweiten Kapitel auf einer Wanderung zwischen den Bädern von Lucca und der Stadt Lucca mit einer alten Eidechse spricht. Die Hieroglyphen auf deren Schwanz, so wird ihm von dem Tier erklärt, geben die ganze Philosophie wieder. Die Beschreibung einer prächtigen Prozession mit ihren pittoresken geistlichen Teilnehmern leitet über zum Aufenthalt in einer Kirche, wo er seine angebetete katholische Franscheska trifft, die ihn küsst, aber dennoch nicht erhört. Zuvor hat er im selben sechsten Kapitel die Geschichte Jesu angesprochen, des bluttriefenden Juden »mit einer Dornenkrone auf dem Haupte« (B 2, S. 492), der die alte Götterrunde verstummen macht. Die Religionserörterung wird ein Kapitel später im Dom mit Lady Mathilde, seiner Freundin aus englischen Tagen, fortgeführt. Ihr gesteht er, in Jesus den Gott seiner Wahl gefunden zu haben, denn obwohl »ein geborener Dauphin des Himmels«, sei dieser »demokratisch gesinnt« (B 2, S. 499). Die Gespräche streifen auch das Berliner Christentum, das eigentlich keines sei. Die Berliner nähmen als Ersatzchristen die

Juden, die sich in diese Religion »hineinexerziert« hätten (B 2, S. 513). In den beiden anschließenden Kapiteln geht es um Sinn und Unsinn der Staatsreligion. Heine lehnt die »Bevorrechtung« eines einzigen Dogmas ab und folgert: »Ein Indifferentismus in religiösen Dingen wäre vielleicht allein im Stande, uns zu retten, und durch Schwächerwerden im Glauben könnte Deutschland politisch erstarken.« (B 2, S. 517) Das war zur damaligen Zeit Verrat an den Grundfesten der bürgerlichen Gesellschaft. Die letzten drei Kapitel 15 bis 17 handeln von der »Donquixoterie« (B 2, 521). Das Volk ist Sancho Pansa, der trotz seiner Prügelscheu und hausbackenen Verständigkeit dem wahnsinnigen Ritter in seinen gefährlichen Abenteuern folgt. Genauso verhält sich das Publikum, das dem »verrückten Poeten [...] durch die Irrfahrten dieses Buches, zwar mit Kopfschütteln«, »aber dennoch« folgt (B 2, S. 521).

»Donquixoterie«

Englische Fragmente

In: *Reisebilder* IV, Hamburg: Hoffmann und Campe, 1831

Die *Englischen Fragmente* verdanken ihren Ursprung Heines Erlebnissen in England 1827. Sie beginnen mit einem eindrucksvollen »Gespräch auf der Themse« – jedes Kapitel hat hier eine Überschrift – über die Freiheit. Wenn sie auf der ganzen Welt verschwunden sein sollte, werde »ein deutscher Träumer sie in seinen Träumen wieder entdecken« (B 2, S. 537). Es folgt »London« mit seinem überwältigenden Leben samt allen Gegensätzen. Heine beschreibt »Die Engländer«, die sich mittlerweile um ein legeres Wesen bemühen, tadelt das Napoleon-Buch des großen Schriftstellers Sir Walter Scott und charakterisiert Gericht und Gefängnis von »Old Bailey«. Ob »Das neue Ministerium« und die englischen Schulden oder die Parlamentsdebatten, denen Heine offenbar gut zu folgen verstand – der Autor erweist sich als perfekter Korrespondent. Die Mischung der Themen baut den notwendigen Spannungsbogen auf. »Die Emanzipation« wird am Beispiel der Katholikenverfolgung erörtert, und auch Lord »Wellington«, der als Gegner Napoleons bei Heine nicht gut wegkommt, erhält ein eigenes Kapitel, in dem der Erzähler ange-

Vgl. S. 33 f.

sichts des orientalisch wirkenden Londoner Hafens zum Wort »Europa-müde« (B 2, S. 594) provoziert wird. Als er den muslimischen Arbeitern seine Reverenz erweisen will, indem er sie mit dem Namen »Mahomet« grüßt, lautet ihr freudiger Gegengruß »Bonaparte«.

Das elfte und letzte Kapitel ist »Die Befreiung« überschrieben und enthält kursorische welthistorische Betrachtungen über die neue Religion in Heines Zeit, die Freiheit. Eine Religion, für die Christus eine große Rolle spielt. Die Franzosen seien »aber das auserlesene Volk der neuen Religion« und Paris sei »das neue Jerusalem, und der Rhein ist der Jordan, der das geweihte Land der Freiheit trennt von dem Lande der Philister« (B 2, S. 601). Heine erzählt im Schlusswort dieses als Anhang zu den *Reisebildern* deklarierten vierten Bandes die Geschichte von Kunz von der Rosen, dem kaiserlichen Hofnarren, der seinem Herrn auch im Gefängnis beisteht und vom befreiten Kaiser als Dank nichts anderes verlangt als sein Leben: »Ach! lieber Herr, laßt mich nicht umbringen.« (B 2, S. 605) Heine selbst ist dieser Hofnarr für das Volk. Bald nach dem Erscheinen der *Englischen Fragmente* geht er nach Paris, das sich erst nach und nach zu seinem Exil entwickeln wird.

Religion der Freiheit

Französische Zustände

Hamburg: Hoffmann und Campe, 1833

Heines erstes rein politisches Buch, die *Französischen Zustände*, erschien 1833 als Sammlung jener »Reihe Artikel und Tagesberichte« (B 3, S. 91) für die Augsburger *Allgemeine Zeitung*, die er gleich zu Beginn seiner französischen Zeit verfasste. Seine Mittler- und Korrespondentenrolle, wie sie zuletzt in den *Englischen Fragmenten* Ausdruck gefunden hatte, wurde damit bekräftigt. Die Konkurrenz war groß, man denke nur an Börnes begeisternde *Briefe aus Paris*, deren zwei erste Teile 1831 bei Hoffmann und Campe in Hamburg erschienen waren. Aber Heine verstand es, seine eigene Position zu finden, die sich allerdings von Börnes radikaleren republikanischen Hoffnungen unterschied. Denn er, Heine, habe in Paris dem Jakobinismus nicht nachgegeben, während zur selben

Vgl. S. 41

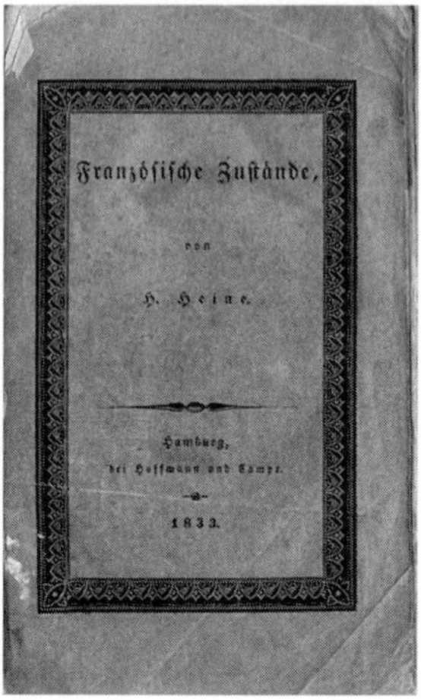

Die Umschlagvorderseite der Erstausgabe

Zeit »deutscher Unverstand mit französischem Leichtsinn rivalisierte« (B 3, S. 226). Damit war auch Börne gemeint.

Der kritische Blick und der subjektive Ton des Reporters, der zugleich Dichter ist, machen die Beobachtungen aus dem französischen Leben samt den Berichten über die politischen Prozesse nach der Julirevolution von 1830 zum Zeitdokument über den Augenblick hinaus. Die deutschen Leser fanden in diesen Blättern die Pariser Ereignisse derart lebendig geschildert und kommentiert, dass sie daran teilhaben konnten. Sie hatten allerdings auch im Verfasser den anspielungsreichsten Interpreten zur Hand. Das zeigt sich beispielsweise in seiner grandiosen Beschreibung der im Frühjahr 1832 in Paris herrschenden Cholera, die alle gewohnte Ordnung über den Haufen warf. Heines Urteile lassen insgesamt keinen Zweifel daran, wie relativ die Verhältnisse sind. Was sei denn ein halbes oder gar ein ganzes Jahrhundert, fragt er. »Die Völker haben Zeit genug, sie sind ewig; nur die Könige sind sterblich.« (B 3, S. 210)

»Die Salons lügen, die Gräber sind wahr. Aber ach! die Toten, die kalten Sprecher der Geschichte, reden vergebens zur tobenden Menge, die nur die Sprache der Leidenschaft versteht.« (Aus Heinrich Heines Bericht über die Cholera vom 19. April 1832, *Französische Zustände*; B 3, S. 164)

Der Salon I-IV

Hamburg: Hoffmann und Campe, 1834-1840

Die vier *Salon*-Bände von 1834 bis 1840 enthalten neben den aktuell zwischen Deutschen und Franzosen vermittelnden Schriften wie *Französische Maler* und *Über die französische Bühne* sowie *Zur Geschichte der Religion und Philosophie in Deutschland* und *Elementargeister* Heines erzählerisches Werk. Letzteres greift teilweise ganz frühe Fäden auf wie der erst

1840 erschienene *Rabbi von Bacherach*, den Heine erstaunlich eigenwillig fortgeführt hat. Die anderen erzählenden Texte sind offenbar in den Anfängen der Pariser Zeit niedergeschrieben worden, sind vom Thema her jedoch ebenfalls älter. Sie tragen die schönen Titel *Aus den Memoiren des Herren von Schnabelewopski* und *Florentinische Nächte*. Es handelt sich um fragmentarische Arbeiten, die ein Echo auf den erprobten Ton der *Reisebilder* darstellen.

Auch in die *Salon*-Bände wurden wieder Gedichte eingefügt: Der Zyklus »Verschiedene« erschien im ersten Band, die in der zweiten Auflage des zweiten *Reisebilder*-Bandes von 1831 eingeschalteten Gedichte des »Neuen Frühlings« erlebten im zweiten Band des *Salon* eine erneute Verwendung. Insofern wirken die fertigen Bände wieder wie mit leichter Hand komponierte Archive der jeweils vorausgegangenen schriftstellerischen Leistung und der augenblicklichen Vorlieben. Wie stets waren dabei die Bücher aus zumeist vorher erschienenen Zeitschriftenbeiträgen erwachsen. Heine war, was diese unruhig anmutende Publikationsstrategie angeht, einerseits ein auf rasche Wirkung bedachter, durch und durch jungdeutscher Tagesschriftsteller, andererseits ein nachdenklicher, ja vorsichtiger Autor, der durchaus einen Ewigkeitsanspruch erhob. Gerade diese Mischstruktur macht es begreiflich, dass die Forschung und Rezeption sich aus den Obertiteln *Reisebilder, Salon* und *Vermischte Schriften* nach Bedarf bedient hat und aus Darstellungsgründen neue thematische Ordnungen vornahm. Das ist auch in unserem Zusammenhang trotz des Respekts vor der ursprünglichen Werkfolge hilfreich: Den Arbeiten über Frankreich folgen hier die erzählenden Werke, diesen die Darstellungen über Deutschland, um die thematischen Zusammenhänge nach vorne wie nach hinten besser zeigen zu können.

Archive des Schriftstellers

Französische Maler

In: *Der Salon* I, Hamburg: Hoffmann und Campe, 1834

Für den wachen Berichterstatter bot sich als Erstes unter dem Titel *Französische Maler* der Salon von 1831 an, wie die Gemäldeausstellung im Louvre genannt wurde. Die lebendigen

Vgl. S. 40f.

Schilderungen und Urteile, in denen Bildthemen wie Farbgebung eine Rolle spielen, machen Heine alle Ehre. In der Kunst sei er »Supernaturalist«, stellt er fest (B 3, S. 46). Nicht die strikte Ähnlichkeit mit der Natur zeichnet die Kunst aus, sondern die geoffenbarten Symbole und Ideen bilden ihren Grund. Er beschreibt nur eine Auswahl der im Louvre ausgestellten Bilder und widmet sich den acht Künstlern Ary Scheffer, Horace Vernet, Eugène Delacroix, Alexandre Gabriel Decamps, Émile-Aubert Lessore, Jean-Victor Schnetz, Léopold Robert, dessen *Schnitter* für ihn das reine Glück darstellen und zum Höhepunkt der gesamten Ausstellung zählen, und Paul Delaroche. Der »Nachtrag 1833« spricht unter anderem noch einmal von der »unermeßlichen Bedeutung des Salon von 1831« (B 3, S. 77).

»Der Maler [Léopold Robert], der so schön den Tod verklärt, hat jedoch dasLeben noch weit herrlicher darzustellen gewußt: sein großes Meisterwerk, ›die Schnitter‹, ist gleichsam die Apotheose des Lebens; bei dem Anblick desselben vergißt man, daß es ein Schattenreich gibt, und man zweifelt, ob es irgendwo herrlicher und lichter sei, als auf dieser Erde.« (Heinrich Heine, *Französische Maler*; B 3, S. 53 f.)

Über die französische Bühne. Vertraute Briefe an August Lewald

In: *Der Salon* IV, Hamburg: Hoffmann und Campe, 1840

In der Schrift *Über die französische Bühne* wird ein anderer Bereich des kulturellen Lebens erfasst. Wie so oft gibt Heine sogar, hier in Klammern, die genaue Entstehungszeit an: »Geschrieben im Mai 1837, auf einem Dorfe bei Paris« (B 3, S. 281). Seinem Schriftstellerkollegen August Lewald, den er bereits aus Hamburger Tagen schätzte, liefert er für dessen bei Cotta verlegte *Allgemeine Theater-Revue* in zehn Episteln seine Überlegungen zur Bühnensituation des französischen Sprech- und Musiktheaters. Allerdings flicht er wie gewöhnlich Beschreibungen seines Alltags und Erinnerungen an die alte Heimat ein. Überhaupt ist die deutsche Folie immer sichtbar.

Der französische Dichter Victor Hugo und der aus Deutschland stammende jüdische Opernkomponist Giacomo Meyerbeer gehören zu den wichtigsten Darstellungsgegenständen.

Aus den Memoiren des Herren von Schnabelewopski

In: *Der Salon* I, Hamburg: Hoffmann und Campe, 1834

Bildungs- und Schelmenroman erleben in Heines *Aus den Memoiren des Herren von Schnabelewopski* ihr blaues Wunder aus parodistischen wie ernsthaften Elementen. Der polnische Student, der in der anspielungsreich benannten holländischen Stadt Leiden Theologie studieren will, macht auf der Hinreise kurzerhand ein halbes Jahr in Hamburg Station – was aufgrund der autobiographischen Erfahrungen des Verfassers nahe liegt – und betrachtet dort im vierten Kapitel zunächst das reinste Sommerbild. Dem steht im selben Kapitel ein Hamburger Winterbild gegenüber, das die Sicht des alten Erzählers spiegelt und »die Qual dieser armen Schwäne« auf der Alster (B I, S. 517) als Symbole für Alter und Enttäuschung beschreibt. Überhaupt wechseln die Perspektiven mehrfach. Ab dem achten Kapitel geht es um das pralle Leben in der holländischen Universitätsstadt, wo Schnabelewopski sich an die Wirtin zur roten Kuh hält, was der Versorgung außerordentlich nützt. Erotische Berichte springen über zur Darstellung

Ein leidender Schelm

»Ueber des Buches letzte Abtheilung [...] werden sie herfallen wie hungrige Wölfe [...]. Sie werden heulen über des Dichters Gottlosigkeit und Frivolität, diese vertrockneten Tugendmenschen und patriotischen Romanschriftsteller, und ein Kreuz vor dem Buche machen, wie vor dem – Gott sei bei uns.« (Aus Karl Herloßsohns Rezension zu *Der Salon* I im *Literarischen Hochwächter* vom 6. Januar 1834; zit. n. Galley/Estermann 2, S. 428)

von theologischen Disputen unter Kommilitonen, wobei der kleine jüdische Simson die Existenz Gottes verteidigt und beim Duell mit dem atheistischen dicken Driksen zu Tode kommt. Gerade durch diesen Schluss der Erzählung in 14 Kapiteln wird die Tiefenstruktur des Hamburger Winterbildes wieder aufgenommen.

Heine erzählt genau in der Mitte des *Schnabelewopski*, im siebten Kapitel, auch eine Version vom Fliegenden Holländer mitsamt dem aus Treue vollzogenen Selbstmord der jungen Frau; diese Fassung, die der Held angeblich auf dem Weg nach Leiden in Amsterdam auf der Bühne gesehen hat, wurde zur Vorlage für Wagners Oper.

Florentinische Nächte

In: *Der Salon* III, Hamburg: Hoffmann und Campe, 1837

Vgl. S. 50 In den beiden *Florentinischen Nächten*, deren Ende offen bleibt, entfaltet Heine seinen Charme mittels der Figur des Maximilian, der dem Arzt der kranken Maria verspricht, durch »allerlei närrische Geschichten« (B I, S. 558) am Krankenbett für Unterhaltung zu sorgen. Liebe und Tod bilden ein tragisches Paar. Die Gesprächsthemen sind vielfältig: Die

Marmorstatue und Marienbild

Marmorstatue im verwilderten Schlossgarten seiner Mutter hat es dem Erzähler bei einem frühen Besuch angetan, ebenso ein Kölner Marienbild und eine verstorbene junge Bekannte. Eindrucksvoll sind die eingestreuten Musikerporträts, die in der Darstellung Niccolò Paganinis gipfeln. In der zweiten Nacht werden Londoner Erinnerungen an eine französische »Künstlerfamilie« (B I, S. 590) wach, besonders an die junge Traumtänzerin Laurence. Sie trifft er später auf einem Pariser Empfang wieder, wo Liszt sich zu einem Konzert drängen lässt. Laurence wird für eine gewisse Zeit Maximilians angebetete Geliebte, bis sie mit ihrem Mann nach Sizilien verschwindet.

Der Rabbi von Bacherach

In: *Der Salon* IV, Hamburg: Hoffmann und Campe, 1840

Vgl. S. 50 Ernst und Groteske liegen in den drei Kapiteln des *Rabbi von Bacherach* eng beieinander. Den Anfang darf man getrost als jüdische Rheinromantik betrachten, bevor dann ein furchtbares Pogrom in Bacharach den jungen Rabbi Abraham und seine schöne Frau Sara als einzige Überlebende in das Frankfurter Ghetto treibt. Sie tragen nicht umsonst die Namen des Urväterpaars und sind ganz und gar die Verkörperung des frommen mittelalterlichen Judentums in Deutschland. In

Frankfurt löst sich das Grauen; Abrahams und Saras Zusammentreffen mit dem spanischen Apostaten Don Isaak Abarbanel, einem Studienfreund des Rabbis, in der Garküche von Schnapper-Elle aus Amsterdam gestaltet sich gar zu einem wahren Satyrspiel. Aber immerhin trägt dieser getaufte Jude den biblischen Vornamen, der die Sohnesgeneration im Verhältnis zum kinderlosen Ehepaar bezeichnet. Emanzipation und Assimilation können die Wunden, die aus kultureller Herkunft und eigenem Lebensentwurf entstehen, also nicht heilen, wohl aber ironisch aufheben.

1923 erschien eine Ausgabe des *Rabbi von Bacherach* mit Originallithographien von Max Liebermann.

Zur Geschichte der Religion und Philosophie in Deutschland

In: *Der Salon* II, Hamburg: Hoffmann und Campe, 1835

Die deutschen Traditionen und Lebenshintergründe stehen im Mittelpunkt der Schrift *Zur Geschichte der Religion und Philosophie in Deutschland.* Die Kritik erboste sich darüber, dass Heine auf verständliche Weise die komplizierten Sachverhalte der intellektuellen Debatten einem breiten Publikum schmackhaft zu machen verstand. Der Essay enthält wie die *Romantische Schule* drei Bücher, in denen es Heine um die Darstellung der revolutionären Prozesse geht. Sie nehmen bei Martin Luther ihren Ausgang. Als zweite Stufe folgt die moderne Philosophie, die zur Rehabilitation der materiellen Welt bereits das Ihre beigetragen hat durch eine pantheistische Lösung der Probleme. Eine dritte Revolution steht nun noch aus, die auf dem französischen Materialismus gründet und die Menschenwürde in einer Umkehrung der bisherigen Maxime fordert: »Wir kämpfen nicht für die Menschenrechte des Volks, sondern für die Gottesrechte des Menschen.« Heine knüpft an die Saint-Simonisten an und konstatiert weiter: »[…] wir stiften eine Demokratie gleichherrlicher,

Vgl. S. 51

gleichheiliger, gleichbeseligter Götter.« (B 3, S. 570) Die Rede vom sterbenden Gott am Ende des zweiten Buches ist dadurch vorbereitet. Der Schluss des dritten dagegen verweist auf die »Göttin der Weisheit« (B 3, S. 541). Der große Säkularisierungsprozess ist damit abgeschlossen.

Elementargeister

In: *Der Salon* III, Hamburg: Hoffmann und Campe, 1837

Die *Elementargeister* stellen Heines Beitrag zur Volksmythologie dar. Der Kampf zwischen den christlichen Vorstellungen und den germanischen wie keltischen Naturwesen hat sich in vielen Quellen niedergeschlagen, wobei Paracelsus besondere Verdienste zukommen. Heine macht sich anheischig, die verborgenen Schichten und Überlieferungen wieder sichtbar und verständlich zu machen. Den vier Elementen sind Naturwesen zugeordnet: also Erde und Zwerge, Luft und Elfen, Wasser und Nixen, Feuer und Salamander. Dabei sind nationale Differenzen zu beobachten, denn die französischen Traditionen zum Beispiel sind sehr viel heiterer als die deutschen. Heines Bericht über die slawische Überlieferung von den vor der Hochzeit verstorbenen Bräuten, den Willis, ist in Théophile Gautiers berühmtes *Giselle*-Ballett von 1841 eingeflossen. Die »Tanzlust, die sie im Leben nicht befriedigen konnten«, wird zur »Tobsucht« (B 3, S. 654) und vernichtet die ihnen im Mondlicht begegnenden jungen Männer.

Giselle-Ballett, vgl. S. 125

Die romantische Schule

Hamburg: Hoffmann und Campe, 1836

Man könnte behaupten, die *Romantische Schule* besitze ihren Kern bereits in einem frühen Aufsatz aus Heines Bonner Studienzeit namens *Die Romantik*. Der Schüler August Wilhelm Schlegels nimmt entschieden Partei für diese literarische Epoche, lässt aber bereits seine Begabung für Problematisierungen geistesgeschichtlicher Prozesse erkennen. Eine Vorform des Buches war schon 1833 in Paris und Leipzig bei Heideloff & Campe erschienen unter dem sachlichen Titel *Zur Geschichte der neueren schönen Literatur in Deutschland*, der zur Schrift über Religion und Philosophie von 1835 passt.

Völlig unverständlich ist, warum Ricarda Huch in ihrem großen Buch von 1951 *Die Romantik. Blütezeit, Ausbreitung und Verfall* Heine mit keinem Wort erwähnt. Das kann nur damit zusammenhängen, dass der Dichter lange Zeit gar nicht in seiner Eigenschaft als Literarhistoriker von Gewicht wahrgenommen wurde. Seine Form der poetischen Literaturgeschichte galt möglicherweise als untergegangen und zu zeitgebunden. Sie ist es beileibe nicht! Heine schreibt eine Darstellung über die deutsche Literatur, wie sie damals von vielen seiner Kollegen unternommen wurde. Keinem ist jedoch ein solch poetischer Zugriff gelungen, historische Ereignisse mit eigenen Reminiszenzen, Lektürefrüchten und Erklärungen zu versehen. Mit den sprechendsten Vergleichen, die in der Gegenüberstellung von E. T. A. Hoffmann und Novalis ihren Höhepunkt erreichen, erklärt Heine das literarische Geschehen und macht es anschaulich: Die Poesie sei »vielleicht eine Krankheit des Menschen, wie die Perle eigentlich nur der Krankheitsstoff ist, woran das arme Austertier leidet« (B 3, S. 441).

Literarhistoriker von Gewicht

»In der Brust der Schriftsteller eines Volkes liegt schon das Abbild von dessen Zukunft, und ein Kritiker, der mit hinlänglich scharfem Messer einen neueren Dichter sezierte, könnte, wie aus den Eingeweiden eines Opfertiers, sehr leicht prophezeien, wie sich Deutschland in der Folge gestalten wird.« (Heinrich Heine, *Die romantische Schule*; B 3, S. 467)

Ludwig Börne. Eine Denkschrift

Hamburg: Hoffmann und Campe, 1840

Das Elend des Exils wurde selten gültiger beschrieben als in Heines *Denkschrift* über Ludwig Börne aus dem Jahre 1840. Dem auf den Tod des berühmten und allseits geachteten Kollegen reagierenden Text in fünf Büchern brachten die Zeitgenossen großes Interesse entgegen, das allerdings enttäuscht wurde. Neben seiner Polemik gegen Platen hat kein Werk Heines Akzeptanz mehr geschadet. Er wurde kurzweg der Leichenfledderei beschuldigt. Dabei hatte er wohl aus seinem

Vgl. S. 52 f. u. 103 f.

Leichenfledderei oder Selbstbefragung

Herzen keine Mördergrube gemacht, aber auch sein Herzblut gegeben in Würdigung und Kritik, Anteilnahme und Schilderung von Börnes Lebensentwurf unter den Bedingungen der Restaurationszeit. Nicht umsonst war er empört über den Titel *Heinrich Heine über Ludwig Börne*, unter dem das Buch wegen fehlerhafter Kommunikation mit seinem Verleger Campe zunächst auf den Markt kam. Das konnte man einfach falsch verstehen, als fühle sich der jüngere Autor dem Toten überlegen. Diese Lesart wies Heine weit von sich.

Das zweite Buch, als Tagebuch aus längst vergangenen Helgoländer Wochen eingefügt, ist schließlich doch noch ein aus Worten geschaffenes Grabdenkmal grandiosen Ausmaßes. Insgesamt verleihen die in den übrigen Büchern enthaltenen Gespräche mit Börne und Heines unkonventionelle Annäherung an dessen Persönlichkeit, die Schilderung von Heimat und Vaterlandsliebe, der Rekurs auf die gemeinsame jüdische Herkunft, der Entwurf einer Biographie als Dechriffierung des Welträtsels dem Börne-Buch den Charakter eines Dokuments, das manche Bedingungen des 19. Jahrhunderts gültig ins Wort bringt.

Der Doktor Faust. Ein Tanzpoem, nebst kuriosen Berichten über Teufel, Hexen und Dichtkunst

Hamburg: Hoffmann und Campe, 1851

Mit dem Faust-Stoff hatte sich schon der junge Heine beschäftigt. Eine kecke Bemerkung anlässlich seines Besuchs bei Goethe in Weimar, der junge Gast beschäftige sich mit einem Faust, soll im Herbst 1824 zum abrupten Ende der Begegnung

Vgl. S. 68

geführt haben. Bei Heines Ballett-Szenario *Der Doktor Faust. Ein Tanzpoem* von 1851, ursprünglich als Teil des *Romanzero* vorgesehen, handelt es sich um literarische Szenenentwürfe mit anschließenden kenntnisreichen Ausführungen, wie es der umständliche Titel auch ankündigt. Durch einen künstlerisch gestalteten Papierumschlag hob sich das Bändchen aus der zeitgenössischen Produktion heraus. Das Poem bezieht

Heines Mephistophela

seinen Reiz aus der Verwandlung des teuflischen Versuchers in die weibliche Gestalt der Mephistophela.

Das Ballett entfaltet sich in fünf Akten, denen ebenso gelehrte wie spannende »Erläuterungen« für den Londoner Theaterdirektor Benjamin Lumley folgen. Die gut bezahlte Auftragsarbeit gelangte dann doch nicht zur Londoner Aufführung, weil damals eine Gastspielreise der gefeierten schwedischen Sängerin Jenny Lind dazwischen kam. Heines Bildentwürfe des Gelehrtenzimmers aus dem 16. Jahrhundert, eines reichen mittelalterlichen Lebens am Herzogshofe, des obszönen Hexensabbats, einer idealen Landschaft der Antike und eines niederländischen Schützenfestes sind vielversprechend. Aber auch seine Version des Stoffes führt zu keinem guten Schluss: Fausts geplante Hochzeit mit einem braven Bürgermädchen scheitert. Er geht am Ende durch Mephistophela zugrunde.

Vermischte Schriften I-III

Hamburg: Hoffmann und Campe, 1854

Heines *Vermischte Schriften* in drei Bänden stellen nach den *Reisebildern* und dem *Salon* die dritte Sammlung in seinem Werk dar, die Disparates aufgelockert zu präsentieren wusste. Die *Geständnisse* bündeln zur Eröffnung des Ganzen autobiographische und historische Absichten. Heines Lieblingsthema, die Mythologie, kann sich im ersten Band, in dem die *Gedichte. 1853 und 1854* den *Geständnissen* gefolgt waren, gleich zweimal entfalten. Und die *Denkworte* über Ludwig Marcus stellen wiederum seine beträchtliche Anteilnahme am Schicksal seiner Freunde unter Beweis. Die beiden anderen Bücher mit diesem abstrakt klingenden Sammeltitel *Vermischte Schriften* enthalten die überarbeiteten Korrespondenzartikel aus den 1840er Jahren unter dem lateinischen Namen von Paris, *Lutetia*.

Vgl. S. 68

Geständnisse

In: *Vermischte Schriften* I

Gerade in den *Geständnissen* und im posthumen *Memoiren*-Fragment zeigt sich die hohe Kunst der Selbstbeschreibung, die als Modell für eine ganze Epoche dient. In den *Geständnissen* entwirft Heine die Konturen seines Lebens. Diese mit Neugier aufgenommenen Erinnerungen sind die endlich zustande gekommene Publikation jenes Komplexes, von dem er

Kunst der Selbstbeschreibung, **vgl. S. 74 f.**

immer als von einem in Arbeit befindlichen Projekt gesprochen oder geträumt hatte. Schon das *Buch Le Grand,* aber auch die *Memoiren des Herren von Schnabelewopski* und andere Partien seines Werkes waren ganz im Sinne solcher Konfessionen verfasst worden. Denn nie sind bei Heine individuelle Erlebnisse allein ausschlaggebend, auch nicht die noch so grandiosen Ereignisse der Zeitgeschichte, sondern wichtig ist stets die Verbindung vom Besonderen mit dem Allgemeinen.

Heine beschreibt in den *Geständnissen* für seine deutschen und französischen Leser den bedeutendsten Grenzübergang seines Lebens, nämlich die Ankunft in Frankreich. Der Zauber der neuen, höflichen und freundlichen Umwelt kommt noch einmal zutage. Wie in den Schriften über Deutschland wird erneut Madame de Staël beschworen, vor allem aber wird Heines seelische Wandlung Gegenstand dieser Selbstdarstellung. Mit einem Selbstzitat – ein Verfahren, das immer schon zu seinen Spezialitäten gehört hat – aus dem Vorwort zur zweiten Auflage seiner Schrift *Zur Geschichte der Religion und Philosophie in Deutschland* bekräftigt er, wenn auch immer mit ironischer Attitüde, seine so genannte Bekehrung.

Die sogenannte Bekehrung, **vgl. S. 66 f.**

Die Auseinandersetzung mit der jüdischen Geschichte als Geistesgeschichte führt zu dem schönen Wort von der Bibel, die die Juden »im Exile gleichsam wie ein portatives Vaterland mit sich herumschleppten« (B 6/I, S. 483). Die Charakterisierung der Ähnlichkeit zwischen Deutschen und Juden in Wesensart und moralischem Lebenswandel lässt an die später so oft beschworene, jedoch höchst problematische deutsch-jüdische Symbiose denken. Wie Heine sich bereits im *Romanzero* mit dem armen oder auch mit dem auferstandenen Lazarus verglich, so greift er jetzt am Schluss der *Geständnisse* auf den von Aussatz befallenen dichtenden Kleriker aus der mittelalterlichen Limburger Chronik zurück, der sich aufgrund seiner »Misselsucht« mit Hilfe der Lazarusklapper vom Rest der Welt abzusondern hat. Manchmal, in »trüben Nachtgesichten«, glaube er in ihm seinen »Bruder in Apoll« vor sich zu sehen (B 6/I, S. 500 f.).

Umkreisarbeiten zu den *Geständnissen* ermöglichen Heine die

Rückkehr zur politischen Liebe seiner Jugend, dem Bonapartismus. Er lobt Napoleon III., in dem er die Verheißungen des großen Kaisers verkörpert findet; sein Verleger ließ diese für die Franzosen schmeichelhafte Stelle allerdings nicht durchgehen. Sie ist aus dem Nachlass als »Waterloo-Fragment« bekannt.

»Es sind nicht bloß die Franzosen und der Kaiser, welche zu Waterloo unterlagen – die Franzosen stritten dort freilich für ihren eignen Herd, aber sie waren zu gleicher Zeit die heiligen Kohorten, welche die Sache der Revolution vertraten, und ihr Kaiser kämpfte hier nicht sowohl für seine Krone als auch für das Banner der Revolution, das er trug [...].« (Heinrich Heine, »Waterloo-Fragment«; B 6/I, S. 502)

Die Götter im Exil

In: *Vermischte Schriften* I

Die *Götter im Exil* besitzen ihre eigene interessante deutsche wie französische Druckgeschichte, finden aber erst im Kontext der *Vermischten Schriften* die wirklich passende Umgebung. Die Frage nach der »Umwandelung, welche die griechisch-römischen Götter erlitten, als das Christentum zur Weltherrschaft gelangte«, nach der »Verteufelung der Götter« (B 6/I, S. 399) und ihrer Verwandlung in dämonische Gestalten des Volksglaubens hat Heine ein Leben lang begleitet. Die kleine Schrift erweist ihn als Leser, Forscher und Erzähler von Format, der den verschiedenen mythologischen Überlieferungen eine europäische Aufmerksamkeit verschaffen möchte. Wie der Wal ein Rattengesindel mit sich herumschleppen muss, das an ihm nagt, so nagen die heimlichen Ratten an »jeder Größe auf dieser Erde«, »und die Götter selbst müssen am Ende schmählich zugrunde gehen« (B 6/I, S. 422).

Mythologe von Format

Die Göttin Diana

In: *Vermischte Schriften* I

Auch das neben dem Faust-Szenario zweite Ballett Heines, *Die Göttin Diana*, in Klammern als *Nachtrag zu den Göttern im Exil* charakterisiert und in der Vorbemerkung als »Pantomime« bezeichnet (B 6/I, S. 427), würde mit seinen vier knappen, jeweils mit »Tableau« überschriebenen Abschnitten eine moderne Adaption verdienen. Heines antike Jagdgöttin samt dem verführerischen Gefolge trifft auf einen deutschen Ritter, der in ehelichen Verhältnissen lebt; »griechisch heidnische Götterlust« ficht »einen Zweikampf« aus mit der »germanisch spiritualistischen Haustugend« (B 6/I, S. 431). Am Ende führt Venus im Venusberg das liebende Paar zueinander, nachdem Apollo mit seiner Leier und Bacchus, der Gott des Weines, den vom treuen Eckart erschlagenen Ritter wieder zum Leben erweckt haben. Es ist ein »Fest der Auferstehung«; am Schluss herrscht die »Glorie der Verklärung« (B 6/I, S. 436). Wie auch Heines *Doktor Faust* wurde dieses Ballett bisher nicht für Aufführungen genutzt.

Moderne Adaption erwünscht!

Ludwig Marcus. Denkworte

In: *Vermischte Schriften* I

In seinen *Denkworten* setzt Heine dem befreundeten Orientalisten Ludwig Marcus ein Denkmal, wie es nicht anerkennender sein könnte. Die spätere Nachschrift ist der Beleg für die inzwischen selber gesammelten Erfahrungen aus Krankheit und Vereinsamung, die Heine feststellen lassen, dass das *Buch Hiob* ein der Bibel beigegebenes homöopathisches Mittel des Zweifels sei, den die Deutschen so richtig mit dem Wort »Verzweiflung« wiedergäben (B 5, S. 191).

Homöopathisches *Buch Hiob*

Lutetia. Berichte über Politik, Kunst und Volksleben

In: *Vermischte Schriften* II-III

Heine ist in den Berichten der *Lutetia* aus den beiden letzten Bänden der *Vermischten Schriften* stets als Flaneur präsent. Er hatte nicht umsonst jahrelang als Korrespondent in Paris gearbeitet und schildert in seinen Artikeln aus den 1840er Jahren sämtliche Zeitgeschehnisse, die Politik, die Kultur und das öffentliche Leben seines Gastlandes auf eine so individuelle Art, dass er großes Publikumsinteresse voraussetzen konnte, als er die meisten dieser Artikel, immerhin 61 an der Zahl, unter dem Titel *Lutetia* zusammenstellte.

Was er vor Jahren geschrieben hatte, hielt der entsprechenden Prüfung stand, besaß jetzt die Funktion einer poetisch-historischen Quelle, wurde jedoch auch ergänzt und mit Anhängen versehen. Von besonderem Interesse ist seine Vorrede zur französischen Fassung des Bandes, die seine hellsichtigen Bemerkungen über Kraft und Verderben des Kommunismus enthält. Sein publizistisches Angebot an den Leser besteht eben darin, ihm die Teilhabe an Leben und Denken, Schicksal und innerem Reichtum seines Autors zu ermöglichen. Dass dabei strategische Darstellungsformen, Rollenspiele und sprachliches Vermögen zugleich Distanz schaffen und den privaten Bereich schützen, wird ebenso deutlich. Nach Malerei und Theater nimmt in der *Lutetia* die Musik eine besondere Rolle ein: Sie sei, so heißt es beispielsweise im 33. Artikel, »vielleicht das letzte Wort der Kunst, wie der Tod das letzte Wort des Lebens« (B 5, S. 357). Zum Komplex dieser Berichte gehört dann im Anhang auch die Darstellung der »Musikalischen Saison von 1844«.

»Die Berichte über Frankreichs Treiben interessirten mich unendlich, es ist das witzigste, amüsanteste was man Lesen kann, man verlangt nur noch mehr und immer mehr.« (Mathilde von Guaita über die *Lutetia* in einem Brief vom 19. Januar 1855 aus Frankfurt am Main an Heine; HSA 27, S. 279)

Memoiren-Fragment

(posthum)

Das so genannte *Memoiren*-Fragment verlässt, anders als Heines *Geständnisse* aus den *Vermischten Schriften*, in manchen Schilderungen den großen Horizont und vertieft sich in Geschehnisse von Kindheit wie Familie und lebt von lokalen Reminiszenzen. Das autobiographische Fragment wurde erst 1884 unter dem Titel *Memoiren* vom Literarhistoriker Eduard Engel aus dem Nachlass herausgegeben und der ursprünglich von Adolf Strodtmann betreuten Gesamtausgabe (1861-1866) als Supplementband hinzugefügt. Dort waren ja 1869 auch schon andere Texte aus dem Nachlass als Ergänzung des bereits Bekannten erschienen. Die Popularität, mit der bei Heine gerechnet wurde, ersieht man aus dem Vorabdruck in der berühmten *Gartenlaube*, wo *Heinrich Heines Memoiren über seine Jugendzeit* ebenfalls 1884, im Jahr der Buchausgabe, ihren ersten Platz fanden. Die Renaissance des landläufig als Idylle verstandenen Biedermeiers in diesem publizistisch allerdings nicht zu unterschätzenden Organ, dem Inbegriff des deutschen Haushaltes der damaligen Zeit, verbindet so das Spätwerk des Autors mit der ebenfalls im biedermeierlichen Kontext sich präsentierenden Frühzeit. Es hat sich gezeigt, dass dieser Rahmen in der Tat nur als abgründige Fülle aus restaurativen Tendenzen und Emanzipationsbemühungen zu begreifen ist.

Melancholische Reminiszenzen

Durch die im Krankenzimmer verdichtete Rekonstruktion einer Kinder- und Jugendwelt entsteht für Heine der Eindruck von der Folgerichtigkeit des eigenen Lebensentwurfs und der damit eng verknüpften Weltgeschehnisse. Es gehört zu den Heine-Legenden, dass besonders die *Memoiren* nach seinem Tode unter der Familienzensur gelitten hätten. Ohne Zweifel hat Heine selbst manche persönlichen Dinge, die er nicht den Augen einer neugierigen Nachwelt aussetzen wollte oder die hätten anders verstanden werden können, als er es inzwischen meinte, vernichtet. Dazu gehören offenbar Briefe von der Mutter und einige Manuskripte. Im Großen und Ganzen kann man aber von seiner Sorgfalt gegenüber allem Geschriebenen ausgehen. Den Einfluss der Familie bzw. seines Bruders Maximilian bei der Durchsicht des Nachlasses wird man als nicht allzu groß einschätzen dürfen. Gerade die sich in Text und Handschriften zeigende Zusammengehörigkeit von *Geständnissen* und *Memoiren*-Fragment lässt auf eine vom Dichter selbst organisierte Spätform seines autobiographischen Werks schließen. Fehlstellen bei der Beschreibung der Hamburger Familie werden jedoch immer den Verdacht eines Eingriffs nähren.

»Wenn ich sterbe, wird die Zunge
Ausgeschnitten meiner Leiche;
Denn sie fürchten, redend käm ich
Wieder aus dem Schattenreiche.«

(Heinrich Heine über die ›Familienzensur‹: »Wer ein Herz hat und im Herzen«; B 6/I, S. 325)

Die Stillagen der beiden Texte sind durchaus verschieden, was allerdings ihrer Wirkung in keinem Fall schadet. Die Schilderung von Heines Jugendliebe, der Scharfrichterstochter Josepha, die wegen ihres roten Haares rotes Sefchen genannt wird, gehört zu den Glanzstücken einer Pubertätsbeobachtung. Sefchen hat ihn nicht nur die Liebe zu schönen Frauen, sondern auch zur Revolution gelehrt. Charakterisierungen der äußerst tatkräftigen Mutter, des – im Gegensatz dazu – mütterlichen Vaters, des Onkels und Großonkels, jeweils mit dem Namen Simon van Geldern, beleben unsere Vorstellung von der Entwicklungsgeschichte des Dichters an der Wende vom 18. zum 19. Jahrhundert. Insofern erfüllen diese späten Berichte viele Erwartungen, die die Leser an das »Märchen« (B 6/I, S. 556) von Heines Leben stellten. Heine gebraucht diese Charakterisierung am Anfang der *Memoiren* also auf genau dieselbe Art, wie sein dänischer Kollege Hans Christian Andersen sie für die eigene Autobiographie benutzte, und wandte diese Formel bereits im 19. Kapitel des *Buchs Le Grand* an. Dort hört die schöne Dame ihn, den jungen Dichter, »das trübe Märchen meines Lebens« erzählen (B 2, S. 306). Damals konnte sich die Zuhörerin der Tränen nicht erwehren, nunmehr weint der Erzähler in seinem Krankenzimmer während seiner Berichte gelegentlich selbst. Er spricht die »teure Dame« an und teilt ihr die »Denkwürdigkeiten« seiner Zeit mit (B 6/I, S. 555). Die äußeren Vorgänge und das private Geschehen sind in einer Weise aufeinander bezogen, dass nur der Dichter (und das gilt analog für alle Künstler) imstande ist, durch seine Erzählweise und Perspektiven Ich und Welt einerseits als Einheit und andererseits mit all ihren Unterschieden erfahrbar zu machen.

Heines »Märchen meines Lebens«

Wirkung

Widerstand und Erfolg

Heines Werke gehören seit langem zu dem, was wir Weltliteratur nennen. Mit berechtigtem Stolz nahm er für sich in Anspruch, zu den besten Namen der deutschen Literatur zu zählen, die ihrerseits nur zu einem recht überschaubaren Teil einen sichtbaren Platz im Weltkulturerbe hat. Heine bildet zweifellos ein herausragendes Exempel für den deutschsprachigen Beitrag. Schon zu Lebzeiten hielt er sich, wie er am Ende der *Geständnisse* erzählt, auf seinen »japanischen Ruhm« etwas zugute (B 6/I, S. 498), nachdem er erfahren hatte, dass einige seiner Gedichte im damals völlig separierten Inselreich Japan übersetzt worden waren; diese Tatsache sei noch fabelhafter als die zeitgenössische chinesische Würdigung von Goethes *Die Leiden des jungen Werthers.* Während das Ausland Heine früh zu würdigen wusste und seinen Werken Tür und Tor öffnete, blieb das deutsche Publikum gespalten. Die Geschichte seiner Wirkung wie Popularität liefert dafür bis heute genügend Beispiele. Aber welchem deutschen Autor wurde andererseits während der deutschen Teilung nach dem Zweiten Weltkrieg die Ehre zweier großer Ausgaben zuteil? Nur Heine. Eine Zeitlang entstand gar eine deutsch-deutsche Konkurrenz um die Krone des Heine-Andenkens, was allerdings auch nicht nur sein Gutes hatte.

> »Den höchsten Begriff vom Lyriker hat mir Heinrich Heine gegeben. Ich suche umsonst in allen Reichen der Jahrtausende nach einer gleich süßen und leidenschaftlichen Musik. Er besaß eine göttliche Bosheit, ohne die ich mir das Vollkommene nicht zu denken vermag [...]. – Und wie er das Deutsche handhabt! Man wird einmal sagen, daß Heine und ich bei weitem die ersten Artisten der deutschen Sprache gewesen sind –« (Friedrich Nietzsche, *Ecce homo*, S. 341)

Weltweite Anerkennung

Die weltweite öffentliche Anerkennung war immer Schwankungen unterlegen. In Frankreich wurde Heine als Gast freundlich aufgenommen und für einige Generationen geehrt, aber die Zeit der deutschen Besatzung in den 1940er Jahren und die Kollaboration haben seiner Wirkung offensichtlich geschadet. Obwohl in der jüngsten Zeit glücklicherweise manche Anstrengungen unternommen wurden, scheint sich die gegenwärtige französische Erinnerung an diesen deutsch-französischen Autor etwas schwerer zu tun, als für beide Seiten von Nutzen wäre. In England dagegen herrschte stets eine Heine-Vorliebe trotz seiner antibritischen Auslassungen. Offenbar trifft sein Witz den englischen Sinn für Humor. Besonders innig waren die osteuropäischen Beziehungen zu Heine, auch wenn seit den jüngsten großen politischen Wendezeiten eine unproblematische Aufnahme seiner Werke noch nicht überall möglich ist. Die asiatischen Vorlieben richten sich ebenfalls mit großem Engagement auf Heine; dort wird er neben Goethe zum wichtigsten deutschen Erbe gezählt. In den *Heine-Bibliographien* und *Heine-Jahrbüchern* finden sich zahlreiche Hinweise auf derlei internationale Verflechtungen. Gewiss ist Heines Name – wie auch andere klassische Namen europäischer Herkunft aus seiner Periode, zum Beispiel die seiner französischen Freunde – nicht immer präsent. Die landläufigen Medienangebote schütten oft genug das kulturelle Erbe zu und verdrängen es aus dem Gedächtnis der jeweiligen Generation. Umso erstaunlicher ist die Erfahrung, dass sich stets wieder ganze Leserschichten im In- und Ausland finden, die sich dankbar und erfreut auf eine Bekanntschaft mit Heine einlassen und sich in ihm und seinen Schriften wiedererkennen. Dabei spielt Heines ironische und humoristische Begabung keine geringe Rolle; die Welt ist mit souveränen und obendrein das Lachen ernst nehmenden Äußerungen nicht eben gesegnet.

Die Wirkung Heines kennt viele Verzweigungen, aber dennoch sind die Äste seines Ruhmes in der Regel miteinander verflochten. Früh schon gehörte er zu den deutschen Autoren, deren Werke in sämtliche Weltsprachen übersetzt wurden. Auf diese Weise wirkte Heine auch auf Inhalt wie Motive mancher Nationalliteraturen ein. Die zahlreichen Vertonungen trugen zu seiner Bekanntheit bei und förderten die Lektüre, während die Denkmalsstreitigkeiten die Geschichte sei-

Einfluss auf Nationalliteraturen

nes Archivs beeinflussten und dieses wiederum die Heine-Ausgaben und die übrige wissenschaftliche Beschäftigung mit dem Dichter. Benennungsdebatten zeigten, dass das Gedenken an Heine in der weltweiten Öffentlichkeit doch größer war, als man sich das in der eigenen Heimat vorstellen mochte. Schließlich hat sich auch die bildende Kunst schon seit langem seiner angenommen, so dass von einer ständig sich wandelnden Heine-Renaissance zu sprechen ist. Damit ist jene Gegenwärtigkeit erreicht, die er sich selber im Sinne menschenwürdiger und lebendiger Prinzipien gewünscht hat. In welcher Reihenfolge man die einzelnen Wirkungsfelder betrachtet, ist dabei beliebig, da es sich um konzentrische Bewegungen handelt, auch wenn natürlich eine gewisse Chronologie vorhanden ist.

Vertonungen

Vor allem Heines frühe Lyrik bot sich den Komponisten förmlich an. Nicht umsonst trug seine erste Gedichtsammlung von 1827, die seinen Ruhm im Urteil seiner Zeitgenossen und der Nachwelt am meisten beförderte, den Titel *Buch der Lieder*. Diese Sammlung ist es denn auch, die für Liedvertonungen besonders intensiv genutzt worden ist. Sechs Gedichte wurden beispielsweise vom gleichaltrigen Franz Schubert bereits vor dem Erscheinen des Lyrikbandes aus anderen Publikationszusammenhängen für den in seinem Todesjahr 1828 erschienenen *Schwanengesang* ausgewählt. Der über zehn Jahre jüngere Robert Schumann schöpfte ebenfalls aus dieser Sammlung – für seinen *Liederkreis*, aber auch für die *Dichterliebe*, beide aus dem für schumannsche Liedvertonungen so fruchtbaren Jahr 1840. Diese lyrischen Exempel haben zweifellos ihre besondere Wirkung als Signatur einer romantischen Epoche entfaltet. Inzwischen wird nicht mehr ohne weiteres davon gesprochen, der Komponist habe Heines Ironie schlicht missverstanden; dafür war er ein zu geübter Leser. Schumanns Exemplar von Heines *Buch der Lieder* zeigt allerdings seine subjektiven Urteile über die einzelnen Gedichte durch entsprechende Anstreichungen genau an. Dass er den ungebrochen wirkenden Gedichten den Vorzug gab, ist ver-

Schubert und Schumann, vgl. S. 76 u. 34

ständlich, wenn man bedenkt, dass er sich zu dieser Zeit in der problematischen Phase der Verlobung mit Clara Wieck befand. Auch seine spätere Frau hat ihrerseits Heine-Gedichte aus dem *Buch der Lieder* vertont.

»Aber wie anders fand ich ihn und wie ganz anders war er, als ich mir ihn gedacht hatte. Er kam mir freundlich, wie ein menschlicher, griechischer Anacreon entgegen, er drükte [!] mir freundschaftlich die Hand u[nd] führte mich einige Stunden in München herum – dies alles hatte ich mir nicht von einem Menschen eingebildet, der die Reisebilder geschrieben hatte; nur um seinen Mund lag ein bittres, ironisches Lächeln [...].« (Robert Schumann in einem Brief vom 9. Juni 1828 an Heinrich v. Kurrer über seine Münchner Begegnung mit Heine; zit. n. Werner 1, S. 165)

Heine selbst hat die zeitgenössische Salonmode, mit Liedvertonungen gesellige Zusammenkünfte zu würzen, vor allem in Lüneburg miterlebt und dabei auch Kompositionen eigener früher Gedichte gehört. Diese Lüneburger Übung, die besonders dem weiblichen Publikum lieb und teuer war, hat ohne Zweifel die Sammlung seiner Gedichte im *Buch der Lieder* veranlasst. Heine hatte neben den bis heute großen Komponisten, die er teilweise persönlich kennen lernte, wie Felix Mendelssohn Bartholdy, Robert Schumann, Franz Liszt oder Richard Wagner, unter seinen Freunden und Bekannten auch weitere Musiker, die ihn vertonten oder vertonen wollten: Joseph Klein in Bonn, Albert Methfessel in Hamburg, Johann Vesque von Püttlingen zur Pariser Zeit. Doch auch die Heine-Kompositionen von Johannes Brahms, die Dutzende von Vertonungen des unermüdlichen Robert Franz und die Lieder von Richard Strauss verdienen Erwähnung. Die Reihe ließe sich bis in die Gegenwart fortsetzen.

Robert Schumann, 1830

Kuno Stierlin: *Ein Cyclus von acht Gesängen nach Dichtungen von Heinrich Heine.* 1957 der Heine-Sammlung gewidmet

Vgl. S. 77 Zweifellos wurde die Vertonung des »Loreley«-Gedichtes von Friedrich Silcher aus dem Jahre 1838 zum bekanntesten und am meisten missbrauchten Heine-Lied. Trotz mannigfacher Beteuerungen ernst zu nehmender Zeugen, die »Loreley« während der nationalsozialistischen Zeit in den Lesebüchern mit eigenen Augen als anonymes Volkslied ausgewiesen oder einem unbekannten Verfasser zugeschrieben gesehen zu haben, ließen sich dafür bisher keine gedruckten Quellen auftreiben. Über die Heine-Missachtung in Deutschland, die gerade auch die »Loreley« betraf, führte Walter A. Berendsohn in seiner Arbeit mit dem programmatischen Titel *Der lebendige Heine im germanischen Norden* (Kopenhagen 1935) aus dem Exil beredt Klage und rühmte dagegen die skandinavische Rezeption. Die Ächtung Heines durch das Dritte Reich wurde so mit Hilfe der Formel vom »Dichter unbekannt«, die Theodor W. Adorno gleich zu Beginn seines berühmten Rundfunkvortrags von 1956 *Die Wunde Heine* benutzte, bildhaft festgeschrieben.

Das große Standardwerk von Günter Metzner über *Heine in der Musik. Bibliographie der Heine-Vertonungen*, das als Modellfall für eine spezielle Rezeptionsform gelten kann, umfasst zwölf Bände mit Hinweisen auf beinahe 10 000 Vertonungen. Hier zeigt sich deutlich die auch sonst in der Rezeption wahrzunehmende zentrale Rolle des *Buchs der Lieder*. Ergänzt werden dessen Kompositionsvorlagen durch den Zyklus »Neuer Frühling« aus den *Neuen Gedichten*. Die insgesamt überwältigende Fülle von Kompositionen verrät selbstverständlich viel über den jeweiligen Publikumsgeschmack; erst in der jüngeren Vergangenheit sind zum Beispiel auch politische und späte Texte ausgewählt worden, ein Hinweis darauf, dass sich das Leseverhalten und Textverständnis der Leser wie der Komponisten im Laufe der Zeit merklich gewandelt hat. So wurde beispielsweise zum 200. Geburtstag Heines 1997 von Rolf Liebermann das Gedicht »Die schlesischen Weber« vertont.

Aber nicht nur Lieder, auch Stücke, Sequenzen oder Situationen aus Heines Texten und Leben haben die Komponisten gereizt. Immerhin liegt dem 1841 geschaffenen berühmten Ballett *Giselle* von Théophile Gautier mit der Musik von Adolphe Adam Heines Bericht aus den *Elementargeistern* über die Willis zugrunde, jene Sage über die vor der Hochzeitsnacht verstorbenen Bräute und ihren Verderben bringenden nächtlichen Tanz. Es gibt etwa von Pietro Mascagni, dem Schöpfer der *Cavalleria Rusticana*, die auf der Grundlage von Heines Tragödie entstandene Oper *Guglielmo Ratcliff*, die 1895 in der Mailänder Scala uraufgeführt wurde, während Werner Egk mit seinem *Abraxas* aus dem Jahr 1948 eine skandalumwitterte Adaption des *Doktor Faust* schuf. Und Günter Bialas komponierte eine als *Heine-Liederspiel* untertitelte Oper *Aus der Matratzengruft*, die ihre Uraufführung 1992 in Kiel erlebte.

Oper *Guglielmo Ratcliff*, vgl. S. 85 f.

Denkmals- und Benennungsstreitigkeiten

Über kaum eine Persönlichkeit ist, was ihr öffentliches Andenken angeht, derartig heftig, lange und immer wieder von neuem kontrovers diskutiert worden wie über Heinrich Heine. Die Historie seiner Denkmäler gleicht bis auf den heutigen Tag einer Abenteuergeschichte mit allen Abgründen und Ruhephasen und erzählt manches über das Verhältnis vor allem des deutschen Publikums zu einem seiner bedeutendsten Schriftsteller. In der Hauptsache stellt sie aber ein Signal für den Zustand der jeweiligen Gesellschaft dar, die mit nationalistischen, antisemitischen, antifranzösischen, antiliberalen, freilich aber auch mit freiheitlichen und demokratischen Argumenten für oder wider den Autor focht.

Ähnlich wie die Vertonungen ist auch die Denkmalsgeschichte bei Heine akribisch aufgearbeitet worden. Sie besitzt ebenso wie das Thema Heine und die Musik ein offenes Ende und wird auch in Zukunft fortzuführen sein; die umsichtige Studie von Dietrich Schubert unter dem Titel *»Jetzt wohin?« Heinrich Heine in seinen verhinderten und errichteten Denkmälern* hat bereits einen langen, hochinteressanten Zeitraum erfasst und viel Wissenswertes vereinigt.

Heine-Verehrerin Elisabeth von Österreich

Die Erfinderin der Heine-Denkmalsidee ist die sich als Wiedergängerin ihres »Meisters« verstehende und ihm ihre zahlreichen Gedichte widmende Kaiserin Elisabeth von Österreich. Als Verehrerin des Dichters besuchte sie übrigens bei einer ihrer rastlosen Reisen Heines greise Schwester Charlotte Embden in Hamburg. Elisabeths Plan bestand Ende der 1880er Jahre darin, der Stadt Düsseldorf einen von Ernst Herter geschaffenen Loreley-Brunnen zu schenken. Die Aufstellung auf dem Ananasberg im Hofgarten hingegen sollte durch die Stadt ermöglicht werden und wurde auch von einem hochkarätigen Denkmalskomitee betrieben. Doch aufgrund der deutlich nationalistischen und antisemitischen Widerstände, zumal aus der preußischen Hauptstadt Berlin, erfolgte ein Ab-

Der Loreley-Brunnen von Ernst Herter in New York. Fotografie um 1900

bruch der Bemühungen. Der Denkmalsfonds wurde eingefroren und später für den Ankauf der Heine-Sammlung in der ehemaligen Landes- und Stadtbibliothek eingesetzt. Der Loreley-Brunnen mit dem Heine-Medaillon fand schließlich auf Initiative der Deutschen in den USA 1899 einen Platz im Joyce-Kilmer-Park in der New Yorker Bronx, wo das nach genau 100 Jahren komplett restaurierte Denkmal auch heute noch steht.

»Heine ist von den meisten anderen Dichtern verschieden, weil er alle Scheinheiligkeit verachtet, er zeigt sich stets als der, welcher er ist, mit allen menschlichen Eigenschaften und allen menschlichen Fehlern.« (Kaiserin Elisabeth von Österreich in ihrem Tagebuch über Heine; zit. n. Kruse 1983, S. 11)

Die Kaiserin gab als Privatperson nicht auf; ihr Heine-Kult blühte an sämtlichen ihrer Aufenthaltsorte. Von Eduard Engel, dem Herausgeber der *Memoiren*, hatte sie Gottlieb Gassens in München entstandenes Heine-Porträt erbeten, um es kopieren und die Kopie in ihren Räumen im Schönbrunner Schloss gut sichtbar anbringen zu lassen. Neben dem Originalporträt, dessen Ausleihe die Kaiserin der Familie Engel nobel vergütete, besitzt das Heine-Institut inzwischen aus Elisabeths Nachlass auch jenen Druck des leidenden Heine von Ernst Benedikt Kietz aus dem Jahr 1851 in schwarzer Samtschatulle. Der Dichter war somit überallhin mitzunehmen und offenbar der einzige ständige Begleiter, der ihr Trost brachte; auch las sie ihn wirklich, wie ihre ebenfalls in Düsseldorf befindliche Gesamtausgabe der Werke mit handschriftlichen Orts- und Zeitangaben beweist.

Den Park ihrer Villa Achilleion auf Korfu schmückte Elisabeth mit einer Heine-Statue aus der Werkstatt des dänischen Bildhauers Louis Hasselriis, die den späten Heine darstellt. Auch dieses Denkmal machte sich, sogar mehrmals, auf den Weg. Als der deutsche Kaiser Wilhelm II. einige Zeit nach der Ermordung der Kaiserin 1898 am Genfer See das Anwesen in Korfu kaufte, ließ er die Heine-Statue gleich entfernen und bot sie dem Verlagshaus Campe in Hamburg an. Dort war sie eine Zeit lang öffentlich zu sehen, dann stand sie bis 1939 im Schutze eines der Familie Campe gehörenden Geschäftshauses. Während des Dritten Reiches schaffte der französische

Erbe der Familie die Statue nach Toulon in Südfrankreich, wo sie endlich zum 100. Todesjahr 1956 im Mistralpark aufgestellt wurde. Vom selben Künstler, ebenfalls auf Anregung der Kaiserin, stammt auch Heines Grabdenkmal auf dem Friedhof Montmartre in Paris, das 1901 errichtet wurde und einen alten Grabstein ersetzte.

Deutsche Denkmalsgeschichte

Hier können nur grobe Fäden wenigstens der deutschen Denkmalsgeschichte aufgegriffen werden, die bis heute kontrovers bleibt, denn immer noch und wieder geschehen Überraschungen wie Wunder in der Gedächtniskultur. In Hamburg wurde als Würdigung des Dichters 1926 nach langen Auseinandersetzungen ein von Hugo Lederer geschaffenes öffentliches Denkmal aufgestellt. Während der Nazizeit wurde es entfernt und erfuhr das übliche Schicksal der Metallspende: Es wurde eingeschmolzen. Aufgrund eines erhaltenen Modells konnte Waldemar Otto 1982 eine sich auf Lederers Denkmal beziehende, wenn auch nicht in allem als gelungen empfundene Heine-Figur schaffen und zugleich auf die unglückliche Vorgeschichte hinweisen. Dieses Denkmal fand jedenfalls einen würdigen Platz vor dem Hamburger Rathaus.

In Düsseldorf war ein zweiter Denkmalsversuch Ende der 1920er und Anfang der 1930er Jahre durch den Beginn des Dritten Reiches zum Scheitern verurteilt, obwohl es die dafür notwendige Bronzefigur bereits gab. Den ersten Preis des Wettbewerbs hatte der für eine solche Aufgabe als prädestiniert geltende Georg Kolbe für die allegorische Gestalt eines aufsteigenden Jünglings erhalten; von ihm stammte nämlich das Heine-Denkmal von 1913 in Frankfurt am Main, das ein beeindruckendes Tänzerpaar darstellt, die berühmten Künstler Tamara Karsavina und Vaslav Nijinsky aus dem »Ballet russe«. Den zweiten und vierten Preis erhielt damals der junge Bildhauer Arno Breker, der bald darauf zum Hofbildhauer Adolf Hitlers avancierte. Sein lesender Dichter, ein dem Bildhauer Auguste Rodin verpflichteter Entwurf, der den zweiten Preis erhielt, wurde ein halbes Jahrhundert später, Anfang der 1980er Jahre, jetzt freilich einem idealisierten Realismus folgend, ausgeführt. Die Insel Norderney entschied sich trotz heftiger Proteste dazu, dieses Heine-Denkmal im Dezember

1983 aufzustellen. Brekers frühere Rolle war zu dieser Zeit für die Entscheidungsträger längst vergessen. Eine Kopie des Kopfes fand zwei Jahre später in der Loreley-Gemeinde St. Goarshausen als Heine-Andenken Verwendung. Ohne Zweifel kommen Brekers Bronzen dabei einem breiten Publikumsgeschmack entgegen, dennoch gehen hier Anachronismus und Geschichtsklitterung Hand in Hand.

1949 war im Düsseldorfer Ehrenhof Kolbes Jüngling aufgestellt worden, ohne Bezug auf Heine, da Kolbe vorher in der braunen Diktatur eine zweifelhafte Rolle gespielt hatte. Erst 2002 wurde die ursprüngliche Inschrift »Heinrich Heine gewidmet« im Zuge einer Garten- und Parksanierung angebracht. Offenbar waren in diesem Fall die alten Bedenken ebenfalls verdrängt und beiseite gelassen worden. 1953 machte die Stadt Düsseldorf einen erneuten Anlauf, ein Heine-Denkmal zu errichten. Nach Planspielen über den besten Ort wurde Aristide Maillols Mädchentorso »Harmonie« für eine noble Anlage auf dem Napoleonsberg des Hofgartens verwendet. Das zugehörige Heine-Relief stammt von Ivo Beucker. Die Öffentlichkeit reagierte auf diese Form einer das Stadtbild wenig berührenden Ehrung jedoch eher distanziert. Streit über die ästhetische Gestaltung wie über die richtige Auffassung von Heine gab es wiederum beim Heine-Monument von Bert Gerresheim, das auf dem Düsseldorfer Schwanenmarkt zum 125. Todestag am 17. Februar 1981 eingeweiht wurde. Das Konzept, durch versprengte Teile der mit gewaltigen Dimensionen versehenen Totenmaske an die Matrat-

Das Heine-Monument von Bert Gerresheim auf dem Düsseldorfer Schwanenmarkt

zengruft zu erinnern, wird nach wie vor diskutiert. In der erwähnten Arbeit von Dietrich Schubert wird dieses Persönlichkeitsdenkmal mit seinen erkennbaren Zügen sowie erzählenden und symbolischen Aussagen zu den besten seines Genres erklärt.

Doch auch im Münchener Finanzgarten gibt es seit 1962 eine Heine-Erinnerungsstätte mit Toni Stadlers »Quellnymphe«, in Bonn seit 1982 ein Denkmal von Ulrich Rückriem, das an das steinerne Tor einer Grabkammer mit Heines Namen darauf denken lässt. Sonja Eschefeld schuf Anfang der 1990er Jahre für Eisenhüttenstadt eine Heine-Büste; in Heiligenstadt, wo Heine sich taufen ließ, gedenkt man des Dichters ebenso wie in Halle an der Saale und, man möchte sagen: natürlich, in Berlin. Dort (im Osten der Stadt und in einer Variante in Ludwigsfelde) ist das beeindruckende Denkmal von Waldemar Grzimek zu Hause. Es besteht aus einer Sitzfigur mit einladender Geste und stammt aus den 1950er Jahren, als in der ehemaligen DDR ein wacher politischer Heine als Freund von Karl Marx propagiert wurde und gegen den Stachel löckte. Das hat er viele Jahrzehnte unter Beweis gestellt: Bei den Leipziger Montagsdemonstrationen im November 1989 wurden Plakate mit Versen aus dem *Wintermärchen* mitgeführt, die ihre Geltung auch bei anderen Gelegenheiten nicht verloren haben: »Ich kenne die Weise, ich kenne den Text, / Ich kenn auch die Herren Verfasser; / Ich weiß, sie tranken heimlich Wein / Und predigten öffentlich Wasser.« (B 4, S. 578)

Streit um die Düsseldorfer Universität

Während sich Schulen und Universitäten oft genug danach drängten, den anerkannten Dichtern Verehrung zu erweisen und sich dadurch in der Öffentlichkeit auch selbst zu schmücken, gab es im Falle Heines ähnlich wie bei seinen Denkmälern immer wieder Skandale. Der bekannteste ist der Streit um den Namen der Düsseldorfer Universität. Sie war 1965 aus einer Medizinischen Akademie hervorgegangen und hatte sich mit dem von der Stadtspitze geäußerten Wunsch nach einer Heine-Benennung auseinander zu setzen. Erst nach erbitterten, weltweit geführten Diskussionen fand die Hochschule sich – nach zwei Ablehnungen 1972 (dem 175. Geburtstag

»Es fehlt in Heines Heimat an der Zivilcourage eines offenen Bekenntnisses zu dem Sänger eines neuen Liedes, eines besseren Liedes, um so mehr als dieser die unverzeihliche Sünde begangen hat, als Sohn jüdischer Eltern das Licht der Welt zu erblicken.« (Der New Yorker *Aufbau* am 9. August 1968 zu den Streitigkeiten um die Benennung der Düsseldorfer Universität; zit. n. Schönfeldt 1972, S. 46)

Heines) und 1982 – endlich zum 700-jährigen Stadtjubiläum im Jahre 1988 bereit, den Namen des Dichters anzunehmen. Welche Argumente auch immer geäußert wurden: Es mischten sich alte Vorurteile mit modernen Verwaltungsbedenken, beispielsweise die Kosten für den Neudruck von Briefbögen betreffend! Aus ehemaligen Gegnern und Verhinderern wurden jedoch schließlich alerte Befürworter, und endlich waren alle zufrieden, auch wenn die für Heine kämpfende Bürgerinitiative, die im Allgemeinen Studierendenausschuss stets Sympathien besessen hatte, längst eingeschlafen war. Aus dem Nachlass ihres streitbaren Vorsitzenden Otto Schönfeldt gelangte ein Modell von Lederer in den Besitz des Rektorats, das umgehend davon eine lebensgroße Bronzefigur anfertigen ließ. Diese steht seit den 1990er Jahren vor der heutigen Universitäts- und Landesbibliothek, und zwar auf einem Sockel aus zwei versetzt übereinander gerückten Flächen aus roten Ziegelsteinen. Das passt einerseits zur Umgebung, andererseits ergibt sich so bei der Betrachtung freilich auch jenes Symbol, mit dem Heines Artikel in der Augsburger *Allgemeinen Zeitung* signiert wurden, der Davidsstern, Zeichen von Absonderung und Stolz zugleich. Insofern wurde Heine von der Bauverwaltung, ohne dass es eigentlich beabsichtigt war, begriffen und von der Universität trotz all seiner Vieldeutigkeit akzeptiert.

Am einfachsten verliefen noch die Benennungen von Straßen und Plätzen nach Heines Namen, die es inzwischen an vielen Orten der Welt gibt, seit dem 13. Dezember 2001 auch in Jerusalem nahe dem King David Hotel. Eine von allen Seiten wahrgenommene Vorreiterrolle hatte die Geburtsstadt Düsseldorf zu übernehmen. Dort ist inzwischen, was Straßen, Plätze, institutionelle Einrichtungen und andere passende Lokalitäten angeht, geradezu eine Heine-Manie ausgebrochen. Alte Berührungsängste scheinen somit offenbar überwunden.

Heine-Einrichtungen und Heine-Gesellschaft

Auch die Geschichte seines Archivs, seines Geburtshauses und anderer Heine-Stätten gleicht in manchem einem Kriminalroman. Mit den zweckbestimmten Geldern des Düsseldorfer Denkmalsfonds zugunsten des von der Kaiserin Elisabeth initiierten Loreley-Brunnens, für den es immerhin eine respektable Bürgerbewegung mit dem Oberbürgermeister an der Spitze gegeben hatte, wurde die umfangreiche Heine-Büchersammlung des Leipziger Antiquars Friedrich Meyer erworben. Sie konnte 1906 in die alte kurfürstliche, dann königlich preußische und schließlich Landes- und Stadtbi-

Der »Matratzengruft«-Raum im Heinrich-Heine-Institut mit der Totenmaske und einem Bronze-Abguss der Grabbüste von Louis Hasselriis

bliothek Düsseldorf inkorporiert werden. Eine Alabasterbüste von Adolf Schmieding verlieh dem dort eigens für die Heine-Sammlung eingerichteten Heine-Zimmer dabei den indirekten Hinweis auf die Vorgeschichte des gescheiterten kaiserlichen Denkmalplans. Damals war Heine ein halbes Jahrhundert tot, und die ruhige Erinnerungsstätte im Rahmen der Bibliothek wurde als adäquate, wenn auch insgesamt nicht zufriedenstellende Gedenkstätte angesehen.

Die Bibliothek selbst war spätestens 1770 durch den Kurfürsten Karl Theodor von der Pfalz gegründet worden. Heine und Schumann waren ihre Benutzer gewesen. 1970 wurden die Buchbestände sowie die mittelalterlichen Handschriften und frühen Drucke als Dauerleihgabe der Stadt an das Land Nordrhein-Westfalen und somit an die Universität übertragen. Aus den kulturellen Sammlungen zur Geschichte der rheinisch-bergischen Region mit Beständen zur Literatur, Kunst, Musik und Wissenschaft seit Erfindung des Buchdrucks entstand auf diese Weise das bei der Stadt Düsseldorf verbliebene Heinrich-Heine-Institut, das sich um die Heine-Sammlung und den 1956 erworbenen handschriftlichen Nachlass des Dichters gruppierte.

Heinrich-Heine-Institut

Auch die Geschichte des Heine-Instituts hat ihre Höhen und Tiefen. Mit einer großen Rede von Hermann Kesten, einem der namhaften jüdischen Emigranten, erhielt es zum Heine-Geburtstag 1974 ein neues, eigenes Domizil in der Bilker Straße. Die Sammlungen zur Kulturgeschichte, zumal der Heine- und Schumann-Bereich, wurden nach und nach sinnvoll ergänzt und erweitert. Als das Institut mit seinem Museum Anfang der 1990er Jahre aus Etatgründen empfindliche Einbußen hinnehmen sollte, nahmen selbst die Mitglieder der Schwedischen Akademie der Wissenschaften in Stockholm, denen beispielsweise die Auswahl zur Verleihung der Nobelpreise obliegt, in einem eindringlichen Schreiben vom 21. Januar 1994 für das sichere Fortbestehen dieser Einrichtung zum wissenschaftlichen und öffentlichen Andenken an Heine Stellung.

Genauso abwechslungsreich liest sich die Geschichte der Heinrich-Heine-Gesellschaft, die zum 100. Todesjahr 1956 gegründet wurde. Sie besitzt Vorläufer in Hamburg, aber auch im legendären Heine-Club aus den 1930er Jahren in Mexiko, dem die aus Deutschland emigrierte Schriftstellerin Anna Seghers vorstand. Nach schwierigen und argwöhnisch als links oder kommunistisch beäugten Anfängen hat die Heine-

Gesellschaft sich kontinuierlich entwickelt und mit Erfolg um eine lebendige Vergegenwärtigung des Dichters bemüht. Heute gehört sie zu den großen literarischen Gesellschaften und vergibt seit 1965 in unregelmäßigen Abständen als Literaturpreis eine Ehrengabe. Die Liste der Preisträger wie Max Brod, Hilde Domin, Marcel Reich-Ranicki, Martin Walser, Peter Rühmkorf, Kay und Lore Lorentz, Sarah Kirsch, Tankred Dorst, Ruth Klüger, Bernhard Schlink, Dieter Forte und Alice Schwarzer ist beeindruckend.

»Heine! Von unserer zerfledderten Taschenbuch-Gesamtausgabe stehen heute noch ein paar eselsohrige Exemplare neben meinem Schreibtisch. Sie sind mit mir von München nach Paris nach Wuppertal nach Hamburg nach Frankfurt nach Paris nach Berlin nach Köln gezogen. Und in meiner ersten Pariszeit bin ich so manches Mal – wehmütig vor Heimweh nach deutschem Gemüt, deutschem Nebel und deutschem Schwarzbrot – auf den Spuren von Arri Ein (wie die Franzosen sagen) gewandelt.« (Alice Schwarzer über Heine; Schwarzer/Maia 2005, S. 177)

1990 konnte Heines Geburtshaus in der Bolkerstraße 53 auf Antrag der Heine-Gesellschaft von der Stadt Düsseldorf und der Nordrhein-Westfalen-Stiftung Naturschutz-, Heimat- und Kulturpflege zum ausdrücklichen Gedenken an den Dichter und für Veranstaltungszwecke erworben werden. Damit war ein unbefriedigender Zustand für jenes Haus, von dem Heine im *Buch le Grand* bemerkt hatte, es werde »einst sehr merkwürdig sein« (B 2, S. 261), wenigstens halbwegs zu Ende. Dass unter der Obhut des Museums für Altonaische Geschichte das Gartenhaus Salomon Heines an der Elbchaussee der Erinnerung an Onkel und Neffe dient und einen eigenen Förderverein besitzt, bedarf an dieser Stelle genauso einer Erwähnung wie die Benennung des noblen Lüneburger Wohnsitzes der Familie Heine nach dem Dichter. Heute sind dort außer dem Standesamt auch Kunst und Literatur zu Hause.

Heine-Kunst

Ein eigenes, nicht uninteressantes Kapitel neben den längst etablierten Tausenden von Vertonungen stellt die als Heine-Kunst zu bezeichnende künstlerische Auseinandersetzung mit Heines Persönlichkeit und Werk dar. Diese Art der Beschäftigung mit dem Dichter geht weit über die bekannten Denkmäler, Denkmalsentwürfe und entsprechenden Pläne hinaus; sie betrifft die Illustrationen von Büchern genauso wie freie künstlerische Arbeiten. Ein kleiner Einblick in dieses unabgeschlossene Gebiet der Heine-Erkundung lohnt sich.

Die 1920er Jahre ragen durch manche Exempel der Buchkunst heraus, die auch Heine zugute gekommen ist. Hier sollen wenigstens die Illustrationen von Max Liebermann zum *Rabbi von Bacherach* aus dem Jahre 1923 genannt werden. Unter den Arbeiten der Gegenwartskunst sind unterschiedlichste Werke der Persönlichkeit und dem Schaffen Heines gewidmet; so näherte sich zum Beispiel Hanne Darboven 1975 dem *Atta Troll*, indem sie das gesamte Epos vom Wortkunstwerk zur Ziffernfolge verwandelte. Arnulf Rainer dachte bei seinen Übermalungen von Totenmasken 1979 auch an Heine, Markus Lüpertz bat im witzigen Titel einiger abstrakter Blätter 1984 Heine darum, einfach sitzen zu bleiben, und Michael Mathias Prechtl interessierte sich mehrfach für die Adaption von Heine-Porträts (1970 und 1984). Eine unterirdische, leere weiße Gedenkbibliothek von Micha Ullman auf dem Berliner Bebelplatz nahe der Staatsoper Unter den Linden und der Hedwigskathedrale erinnert seit 1994/95 an die Bücherverbrennung vom 10. Mai 1933. Ausdrücklich wird auf Heines Wort aus dem *Almansor* verwiesen: »Dort wo man Bücher / Verbrennt, verbrennt man auch am Ende Menschen.« (B 1, S. 284 f.)

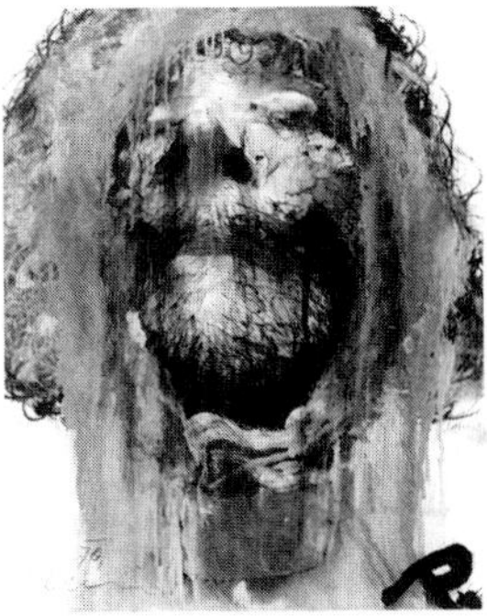

Heinrich Heine. Aus der Serie *Übermalte Totengesichter* von Arnulf Rainer. Mischtechnik auf einer Fotografie, 1979

Ein eigenes weites Feld im Bereich von Kunst und Medien stellt die Verwendung heinescher Anspielungen und Sequenzen in Theater wie Film dar. Als Autor ist er mit seinen eigenen Tragödien so gut wie gar nicht auf der Bühne präsent, obwohl die Aufführungen des *Almansor* und des *William Ratcliff*

Heine-Aufführungen 1997

im Umfeld des Heine-Jahres 1997 am Düsseldorfer Schauspielhaus und am Landestheater Neuss durchaus erfolgreich waren. Tankred Dorst nahm, angeregt durch die Ehrengabe der Heine-Gesellschaft kurz zuvor, einen alten Plan wieder auf und veröffentlichte 1997 das publikumswirksame Theaterstück *Harrys Kopf*, das mit Beifall aufgenommen wurde. Der Bühnenraum enthält sieben Türen; die 15 Szenen bestehen aus Begegnungen und Gesprächen, die faszinierende Einblicke in Heines äußere und innere Welt ermöglichen.

Durch Filme wurde Heine ebenfalls nicht häufig zum Helden, obwohl wenigstens der bewegende Fernsehfilm von Karl Fruchtmann *Heinrich Heine – Die zweite Vertreibung aus dem Paradies* von 1983 genannt werden kann. Allerdings sind auch vielfältige andere Nuancen zu verzeichnen. Hier sei beispielsweise an Josef von Sternbergs amerikanischen Film *Die blonde Venus* von 1932 erinnert mit Marlene Dietrich in der Hauptrolle und der Mendelssohn-Vertonung von Heines »Leise zieht durch mein Gemüt«. Weiterhin ist Marilyn Monroe mit einer Paraderolle als Showgirl Lorelei in Howard Hawks' Film *Blondinen bevorzugt* aus dem Jahr 1953 zu nennen; dass die Schauspielerin aber Heine auch tatsächlich las, dafür gibt es Bildbeweise.

Marilyn Monroe, in einer amerikanischen Heine-Ausgabe lesend

Gedächtnisfeiern

Immer wieder spielen Gedenkjahre eine Rolle, ohne die die Wogen der Rezeptionsgeschichte offenbar gerade in der jüngsten Vergangenheit überhaupt nicht mehr zu steuern sind. Im Falle Heines hat das regelmäßige Gedenken gleichzeitig die immer wieder neue Chance geboten, an Leben, Werk und Wirkung des Dichters nachhaltig zu erinnern. Als man am Ende des 19. Jahrhunderts noch davon ausging, dass Heine 1799 geboren wäre, gab es zum 100. Geburtstag eine Rundfrage bei bedeutenden Zeitgenossen, die Heine mit manchem anerkennenden Wort bedachten. Besonders eindringlich lautet der kurze Satz seines Hamburger lyrischen Nachfolgers Detlev von Liliencron, der kurzerhand notierte, dass Heines Name unsterblich sei. Diese Unsterblichkeit wurde in regelmäßigen Abständen zu Geburts- und Todesjahren, anlässlich der Erinnerung an Erscheinungsdaten und bei ähnlichen sich günstig anbietenden Gelegenheiten unter öffentlichen Beweis gestellt.

Alfred Kerr forderte zum 50. Todesjahr 1906 endlich ein öffentliches Heine-Denkmal, was dann auch mit langer Verzögerung in Hamburg Gestalt annahm. Eine umgehend publizierte Antwort auf Kerrs Engagement bestand damals unter anderem in einer Schmähschrift des antisemitischen und völkischen Literaturhistorikers Adolf Bartels, dessen unausgewerteter Nachlass 2004 dem Brand in der Weimarer Anna Amalia Bibliothek zum Opfer fiel.

Einige Ereignisse zum 100. Todesjahr wurden bereits erwähnt, vor allem das Heine-Archiv und die Heine-Gesellschaft verdanken diesem Jahr ihren Ausgangspunkt. Die Stadt Düsseldorf verlieh zum 175. Geburtstag des Dichters 1972 zum ersten Mal den für Persönlichkeiten im heineschen Sinne bestimmten Heine-Preis, der anfangs alle drei, seit 1981 alle zwei Jahre vergeben wird. Ähnlich wie bei der Ehrengabe der Heine-Gesellschaft liest sich die Reihe der auf diese Weise mit Heine verknüpften Preisträger gut – unter ihnen Carl Zuckmayer, Pierre Bertaux, Sebastian Haffner, Walter Jens, Carl Friedrich von Weizsäcker, Günter Kunert, Marion Gräfin Dönhoff, Max Frisch, Richard von Weizsäcker, Wolf Bier-

Heine-Preis

mann, Wladyslaw Bartoszewski, Hans Magnus Enzensberger, W. G. Sebald, Elfriede Jelinek und Robert Gernhardt.
Der 200. Geburtstag, der 1997 gefeiert wurde, scheint so etwas wie einen Kafka-Effekt bewirkt zu haben. Heine blieb zwar ein anregendes Diskussionsthema im historischen Kontext, gleichzeitig bot er aber unter neuen Perspektiven, ebenso wie es bei seinem jüdischen Schriftstellerkollegen Franz Kafka aus Prag seit langem zu beobachten ist, eine existentielle, zeitlose Möglichkeit der Anteilnahme an. Das Publikum vermag sich weltweit mit seiner Individualität und seinem Werk zu solidarisieren, wenn es ihn nicht gar als Identifikationsfigur anzunehmen bereit ist.

Nationale und internationale literarische wie wissenschaftliche Wirkung

Neben aller internationalen literarischen und wissenschaftlichen Heine-Wirkung gibt es glücklicherweise trotz seiner durchgängigen heimatlichen Schwierigkeiten auch eine nationale Rezeption, die sich, manchmal sogar entgegen der Erwartung aufgrund der angesprochenen, nach wie vor herrschenden Vorurteile, durchaus sehen lassen kann. Das gilt vor allem für eine bemerkenswerte Editionspraxis im Dienste der heineschen Werke und Briefe. Heine selbst hat die von ihm erhoffte Gesamtausgabe seiner Werke im Hamburger Stammverlag nicht mehr erlebt. Sie erschien erst nach seinem Tod und wurde von seinem Biographen, dem Schriftsteller Adolf Strodtmann, der ihn schon in den USA hatte vermitteln wollen, in den 1860er Jahren herausgegeben.
In den 1880er Jahren erschienen seine Werke auch im Bibliographischen Institut, Leipzig, mit Ernst Elster als Herausgeber, und Anfang des 20. Jahrhunderts betreute Oskar Walzel eine schöne Ausgabe im Insel Verlag. Auch weitere Verlagshäuser haben sich um Heine manche Verdienste erworben. In der Zeit des Nationalsozialismus war allerdings ein verordneter Stillstand zu verzeichnen. Wie widersprüchlich sich der europäische Faschismus verhalten hat, zeigt dabei zum Beispiel eine literarische Vorliebe des Führers der italienischen Faschisten, Benito Mussolini; er hatte in seiner Jugend neben

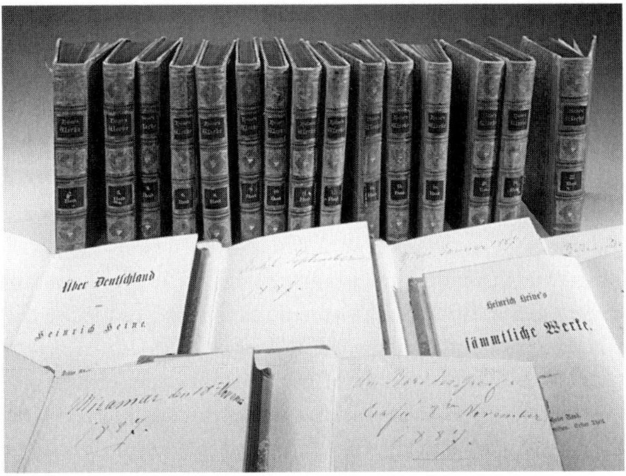

Die Heine-Gesamtausgabe aus dem Besitz von Elisabeth von Österreich; auf den Vorsatzblättern trug die Kaiserin jeweils Ort und Zeit der Lektüre ein.

Handgranaten und Revolver nach Aussage seiner jüdischen Geliebten Margherita Sarfatti auch einen Band Heine auf dem Schreibtisch liegen.

Wettlauf der Heine-Ausgaben

Nach dem Zweiten Weltkrieg gab es in beiden deutschen Nachkriegsstaaten gewissermaßen einen Wettlauf in der Heine-Forschung, wobei der früheren DDR ein Vorsprung gelang. Historisch-kritische Ausgaben wurden angesichts der kontroversen, wenn nicht gar feindlichen Haltung gegenüber Heine, beispielsweise im Vorfeld des Kaiserreichs, der Weimarer Republik und speziell im Dritten Reich, ja sogar noch direkt danach, zwar verzögert, sind aber dann ihrerseits zu Exempeln des deutsch-deutschen Bemühens um diesen Autor während der Nachkriegsteilung geworden. Das historisch-politische Interesse am literarischen wie am Briefwerk Heines im Osten wurde ergänzt durch die philologisch-kritische Sicht auf das schriftstellerische Werk im Westen. Die beiden Studienausgaben in Ost und West, herausgegeben von Hans Kaufmann bzw. Klaus Briegleb, gingen der westlichen Studentenrevolte voraus bzw. haben sie begleitet.

Die zeitgenössische Kritik hatte sich bereits weder in Lob

noch Tadel lumpen lassen. Diese Rezensionen und Hinweise können getrost den heineschen Werken und Briefen als Echo auf Person und Schaffen an die Seite gestellt werden und füllen innerhalb der *Heine-Studien*, genau wie beim Thema Vertonungen, wiederum ganze zwölf Bände mit Texten und Ausschnitten aus der Publizistik der Heine-Zeit von 1821 bis 1856 unter dem Sammeltitel *Heinrich Heines Werk im Urteil seiner Zeitgenossen*.

Stimmen der Schriftsteller

Hingewiesen werden soll wenigstens auf die Rezeption durch andere deutschsprachige Autoren, unter denen beispielsweise Theodor Fontane hervorragt. Im Roman *Effi Briest* etwa wird die Protagonistin von ihrem Verführer Crampas mit Heine-Gedichten zu Fall gebracht, und auch sonst taucht Heine immer wieder bei Fontane auf. Gottfried Keller sah ihn nicht ohne kritischen Nebenton in seinem Versepos *Der Apotheker von Chamouny oder der kleine Romanzero*, während er für Hermann Hesse sowie Thomas und Heinrich Mann der große deutsche Schriftsteller war, der eine gebührende Wertschätzung verdiente. Über *Thomas Manns Heine-Rezeption* gibt es gar eine eigene Studie von Volkmar Hansen. Zu Recht werden mit Heine häufig die Namen Bertolt Brecht und Kurt Tucholsky in Verbindung gebracht, die ebenfalls die Gratwanderung zwischen Poesie und Politik beherrschten. Für die Zeit der deutsch-deutschen Literaturgeschichte während des Kalten Krieges wies Wolf Biermann 1972, vor seiner Ausweisung aus der ehemaligen DDR, in seinem Versepos *Deutschland. Ein Wintermärchen* Heine die so eindeutige wie schwierige Hauptrolle des Mittlers zwischen zwei Vaterländern zu. 90

»Es ist nicht wahr, daß er ein Feind Deutschlands war. Er hat, wie alle großen Deutschen, wie Goethe, Hölderlin, Nietzsche, die sämtlich Erzieher zum Deutschtum, nicht Lobhudler des Deutschtums waren, unter gewissen Schattenseiten des deutschen Wesens gelitten und seinen schmerzlichen Witz daran geübt. Aber sein Gefühl für Deutschland ging, wie alles Gefühl bei ihm, oft genug bis zur Sentimentalität [...].« (Thomas Mann, *Über Heinrich Heine*, S. 823)

deutschsprachige Autorinnen und Autoren, geboren im Zeitraum 1891 bis 1946, äußerten sich im selben Jahr des 175. Geburtstages Heines im von Wilhelm Gössmann herausgegebenen Band *Geständnisse. Heine im Bewußtsein heutiger Autoren* auf oft ebenso solidarische wie hellsichtige Weise.

Unter den internationalen Autoren soll etwa an den argentinischen Schriftsteller Jorge Luis Borges erinnert werden, der Heine außerordentlich schätzte und zumal von Heines Ballade »Das Schlachtfeld von Hastings« aus dem *Romanzero* angetan war. Seine Nächte, heißt es in der »Ode an die deutsche Sprache«, seien mit Virgil angefüllt, habe er einmal gesagt: »Ich könnte aber auch gesagt haben: / Mit Hölderlin und Angelus Silesius. / Heine gab mir seine Nachtigallenpracht; / Goethe die Schickung einer späten Liebe, / gelassen sowohl wie bereichernd; / Keller die Rose, gelegt von der Hand / in die eines Toten, der die Blume liebte / und der nie wissen wird, ob sie weiß oder rot ist.«

Von den europäischen Nachbarn wird Heine nach wie vor rezipiert, wobei die Franzosen, wie gesagt, möglicherweise nicht unbedingt die größte Anhänglichkeit zeigen. Aber immerhin kann auf den ebenso dezenten wie frappierenden homoerotischen Roman von Gilles Rozier mit dem deutschen Titel *Eine Liebe ohne Widerstand* (2004; frz. *Un amour sans résistance*, 2003) über eine französisch-jüdische Liebe im Frankreich der deutschen Besatzung hingewiesen werden. Die literarische Tiefenstruktur wird vor allem von deutschen und jiddischen Heine-Gedichten bestimmt, und als Motto dient »Ein Fichtenbaum steht einsam«.

Selbst der britische Autor und Spionagespezialist John Le Carré erinnert in seinem Thriller über den israelisch-palästinensischen Konflikt *Die Libelle* (*The Little Drummer Girl*) von 1983 an Heine. Er verwendet als Motto den Anfang und den Schluss aus Heines Gedicht »Die Libelle« („Es tanzt die schöne Libelle«), das den *Gedichten. 1853 und 1854* entstammt. Der deutsche Titel zitiert auch gleich die Überschrift des Gedichtes, während der ursprüngliche englische Titel dagegen eine Anspielung auf Heines Trommler Le Grand sein könnte. Ein schönes Beispiel der Heine-Wirkung ergibt sich auch im großen ungarischen Roman von Péter Esterházy mit dem Titel *Harmonia Cælestis* von 2001. Hier ist unser Dichter nicht nur mit dem Wort »Matratzengruft« (S. 438; vgl. B 6/I, S. 180) gegenwärtig, sondern auch in einer Episode, in der der Vater wie in den heineschen *Memoiren* etwas Schönes über seinen Sohn geträumt hat und stolz auf ihn ist (S. 352; vgl. B 6/I, S. 584). Leitmotivisch taucht Heine auf mit seinem Satz aus den Prosanotizen über die letzten Mondlichter des 18. und das erste Morgenrot des 19. Jahrhunderts, die seine Wiege umspielten, ein Wort, das nach Esterházys Deutung auf seinen eigenen ungarischen Namen zutreffe, der aus Abendschimmer und Morgenrot herrühre (S.16 u. 541; vgl. B 6/I, S. 641). Auch das Buch *Hiob und Heine. Passagiere im Niemandsland* vom ebenfalls ungarischen Schriftsteller István Eörsi aus dem Jahr 1998 (dt. 1999) verdient hier mit Nachdruck genannt zu werden.

Heine wurde, das ist bereits betont worden, in alle Weltsprachen übersetzt. Die laufende Bibliographie im *Heine-Jahrbuch* verzeichnet regelmäßig sämtliche Bemühungen in den verschiedensten Sprachen und medialen Bereichen. Die wissenschaftliche Beschäftigung mit Heine ist in den vergange-

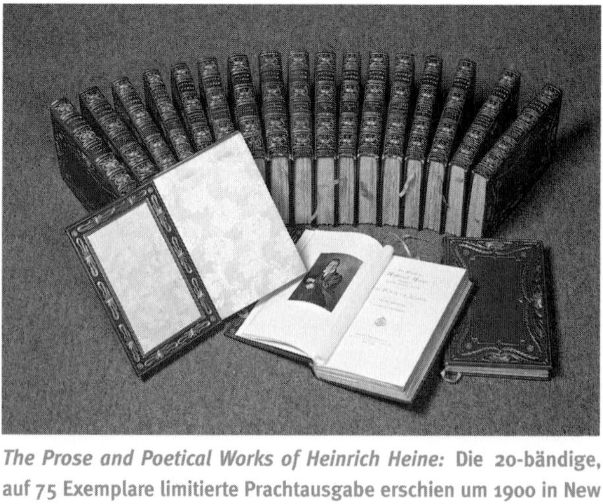

The Prose and Poetical Works of Heinrich Heine: Die 20-bändige, auf 75 Exemplare limitierte Prachtausgabe erschien um 1900 in New York.

nen Jahrzehnten ins Unermessliche und Unübersichtliche angewachsen, und sie geht mit der Zeit: Was die großen Ausgaben aus Düsseldorf und Weimar geschaffen haben, wird nunmehr in einem eigenen, seit 2002 im Düsseldorfer Heinrich-Heine-Institut für das Internet erarbeiteten, gebührenfreien digitalen Heinrich-Heine-Portal der weltweiten Forschung zur Verfügung gestellt. Insofern gibt es keinen Stillstand des einmal Erreichten, sondern einen Fortschritt bei der Lektüre und Erkenntnis.

Wissenschaftliche Zukunft: Heinrich-Heine-Portal

Heines Persönlichkeit, seine Werke und Briefe, die Art, seine Umwelt zu spiegeln und Zeitgenossenschaften wahrzunehmen, werden ein Muster für den modernen Menschen sein können. So jedenfalls hat ihn Heinrich Mann bei einem Aufruf für das Düsseldorfer Heine-Denkmal kurz vor dem Ausbruch des Dritten Reiches gefeiert. Solche Feiern, bei Gott ohne finstere Wolken einer drohenden, Heine-feindlichen Zukunft, sind allemal zu begrüßen.

Anhang

Zeittafel

1797 13. Dezember (Datum unsicher): Heinrich (Harry) Heine wird als Sohn jüdischer Eltern in Düsseldorf geboren. Vater: Kaufmann Samson Heine aus Hannover bzw. Hamburg; Mutter: Peira (Betty) van Geldern aus Düsseldorf; jüngere Geschwister: Charlotte, Gustav und Maximilian.

1803-1815 Schulbesuch in Düsseldorf.

1815 Herbst: kaufmännische Lehrzeit in Frankfurt am Main. – Rückkehr nach Düsseldorf.

1816 Heine geht als Lehrling (später selbständiger Kaufmann) nach Hamburg, wo sein Onkel, der Bankier und Millionär Salomon Heine, lebt. Liebe zu dessen Tochter Amalie.

1819 Entmündigung Samson Heines und Bankrott des Düsseldorfer Geschäftes und der Hamburger Filiale Harry Heine & Comp. Samson geht nach Hamburg. – Heine kehrt nach Düsseldorf zurück. – Herbst: Beginn des Jurastudiums in Bonn; u. a. Bekanntschaft mit August Wilhelm Schlegel.

1820 Umzug der Mutter und Geschwister von Düsseldorf nach Hamburg bzw. Oldesloe (später nach Lüneburg und wieder Hamburg). – Zum Wintersemester geht Heine nach Göttingen.

1821 Wegen eines Duells wird Heine der Universität verwiesen. – Zum Sommersemester nach Berlin; hier Bekanntschaft u. a. mit Karl August und Rahel Varnhagen von Ense, Hegel, Chamisso, Grabbe, Eduard Gans und Moses Moser.

1822 *Gedichte* beim Verlag Maurer, Berlin. – August/September: Reise nach Polen.

1823 April: *Tragödien, nebst einem lyrischen Intermezzo* bei Dümmler, Berlin. – Mai: Ende der Berliner Zeit; Heine reist nach Lüneburg, Hamburg und Cuxhaven.

1824 Fortsetzung des Studiums in Göttingen. – September: Beginn der Harzreise. 2. Oktober: Besuch bei Goethe in Weimar.

1825 28. Juni: Taufe in Heiligenstadt auf den Namen Christian Johann Heinrich. – 20. Juli: Promotion. Anschließend nach Norderney, Lüneburg und Hamburg.

1826 Beginn des Verlagsverhältnisses mit Hoffmann und Campe, Hamburg. – Mai: *Reisebilder* I u. a. mit der *Harzreise.* – Sommerreise von Hamburg nach Cuxhaven und Norderney, anschließend Aufenthalt in Lüneburg.
1827 Wieder in Hamburg. – April: *Reisebilder* II u. a. mit *Ideen. Das Buch Le Grand.* – 12. April: Reise nach England. – Oktober: *Buch der Lieder.* – November: Ankunft in München, wo Heine als Redakteur der Cotta'schen *Neuen allgemeinen politischen Annalen* arbeitet.
1828 Bis Mitte des Jahres in München. – August: Beginn der Italien-Reise. – 2. Dezember: Tod des Vaters. Rückkehr nach Hamburg.
1829 In Hamburg und Berlin bzw. Potsdam, auf Helgoland und wieder in Hamburg. – Dezember: *Reisebilder* III (datiert 1830) u. a. mit den *Bädern von Lucca,* in denen Heine die Platen-Kontroverse aufgreift.
1830 In Hamburg bzw. Wandsbek. – Juni: Reise nach Helgoland; dort erreicht Heine die Nachricht von der französischen Julirevolution. – Dezember: *Nachträge zu den Reisebildern* (= *Reisebilder* IV; datiert 1831) u. a. mit den *Englischen Fragmenten.*
1831 Mai: Übersiedlung nach Paris, wo Heine am 19. Mai eintrifft. – Bekanntschaft mit Balzac, Berlioz, Chopin, Dumas, Victor Hugo, Liszt, Nerval, George Sand u. a.
1832 Dezember: *Französische Zustände* (datiert 1833).
1833 April bzw. Juli: *Zur Geschichte der neueren schönen Literatur in Deutschland* (in zwei Teilen). – Dezember: *Der Salon* I (datiert 1834) u. a. mit den *Französischen Malern* und *Aus den Memoiren des Herren von Schnabelewopski.*
1834 Oktober: Bekanntschaft mit Augustine Crescence Mirat (»Mathilde«), Heines späterer Frau.
1835 Januar: *Der Salon* II (teilweise datiert 1834, sonst 1835) u. a. mit *Zur Geschichte der Religion und Philosophie in Deutschland.* – November: *Die romantische Schule* (datiert 1836; Erweiterung von *Zur Geschichte der neueren schönen Literatur in Deutschland*). – 10. Dezember: Verbot des Jungen Deutschland.
1837 *Der Salon* III mit den *Florentinischen Nächten* und den

Elementargeistern. – Zweite Auflage des *Buchs der Lieder*. – Cervantes' *Don Quixote* mit Heines Einleitung im Verlag der Klassiker, Stuttgart.

1838 Ende Oktober: *Shakespeares Mädchen und Frauen* bei Delloye, Paris (datiert 1839).

1840 August: *Ludwig Börne. Eine Denkschrift*. – November: *Der Salon* IV u.a. mit *Der Rabbi von Bacherach* und *Über die französische Bühne*.

1841 31. August: Heirat mit Mathilde vor dem Duell am 7. September mit Salomon Strauß, Ehemann von Börnes Freundin Jeanette Wohl.

1843 21. Oktober: Aufbruch zur ersten Reise nach Hamburg. – 16. Dezember: Rückkehr nach Paris. Bekanntschaft mit Karl Marx.

1844 20. Juli: Aufbruch zur zweiten Reise nach Hamburg. – September: *Neue Gedichte* in einem Band zusammen mit *Deutschland. Ein Wintermärchen*, das Anfang Oktober auch als Separatdruck erscheint. – 16. Oktober: Ankunft in Paris. – 23. Dezember: Tod des Onkels Salomon, anschließend erbitterter Erbschaftsstreit.

1847 *Atta Troll. Ein Sommernachtstraum*.

1848 Heine wird Zeuge der Pariser Februarrevolution. – Ab Mai/Juni durch eine unheilbare Krankheit ans Bett gefesselt (»Matratzengruft«).

1851 Oktober: *Romanzero* und *Der Doktor Faust*.

1854 *Vermischte Schriften* I-III u. a. mit den *Geständnissen*, den *Göttern im Exil* und der *Lutetia*.

1855 13. Auflage des *Buchs der Lieder*. – Bekanntschaft mit Elise Krinitz (»Mouche«).

1856 17. Februar: Heine stirbt im Hause 3, avenue Matignon. – 20. Februar: Beerdigung auf dem Friedhof Montmartre.

1861-1884 Heines *Sämmtliche Werke*, herausgegeben von Adolf Strodtmann; als Supplementbände 1869 *Letzte Gedichte und Gedanken* (hg. von Strodtmann) und 1884 das *Memoiren*-Fragment (hg. von Eduard Engel).

1905/06 Grundlegung des Heine-Archivs in der Landes- und Stadtbibliothek Düsseldorf (»Heine-Zimmer«).

1933-1945 Diffamierung Heines durch das NS-Regime; die

Heine-Sammlung der Düsseldorfer Landes- und Stadtbibliothek wird geschlossen.

1956 Aus Anlass des 100. Todestages Gründung der Heinrich-Heine-Gesellschaft.

1970 Auflösung der Landes- und Stadtbibliothek Düsseldorf: Die alten Handschriften und der Buchbestand gehen an die Universitätsbibliothek, die Neuere Handschriftenabteilung und das Heine-Archiv bilden das bei der Stadt verbleibende Heinrich-Heine-Institut.

1990 Heines Geburtshaus in der Bolkerstraße geht – zum Andenken an den Dichter und für eine literarische Nutzung – in den öffentlichen Besitz über.

Bibliographie

Im Text verwendete Siglen

B *Sämtliche Schriften*. Hg. von Klaus Briegleb. 6 Bde. München 1968-1976. (Von den einzelnen Bänden sind jeweils weitere Auflagen erschienen. Bd. 6 umfasst zwei Teilbde., dabei enthält die 2. Aufl. des Bdes. 6/I von 1985 den revidierten Text des *Memoiren*-Fragments [nach Erich Loewenthal] und deshalb auch bei den nachfolgenden *Aufzeichnungen* eine unwesentlich veränderte Seitenzählung; in der vorliegenden Biographie wurde danach zitiert.)

Die sogenannte Hanser-Ausgabe; satzspiegelgenau auch in mehreren Taschenbuchausgaben verschiedener Verlage erschienen. Werke in zeitlicher Reihenfolge, großer Kommentar- und Dokumententeil, differenzierte und anregende Register.

DHA Heine, Heinrich: *Historisch-kritische Gesamtausgabe der Werke. Düsseldorfer Ausgabe*. Hg. von Manfred Windfuhr. 16 Bde. Hamburg 1973-1997.

Texte im von Heine gewünschten Gewand, Lesartenapparat, Kommentarteil als Kompendium zur Heine-Zeit.

H Heine, Heinrich: *Briefe*. Erste Gesamtausgabe nach den Handschriften. Hg. von Friedrich Hirth. 6 Bde. Mainz 1950-1957.

HSA Heine, Heinrich: *Werke, Briefwechsel, Lebenszeugnisse. Säkularausgabe*. Hg. von den Nationalen Forschungs- und Gedenkstätten der klassischen deutschen Literatur in Weimar und dem Centre National de la Recherche Scientifique in Paris (die Briefe in Bd. 20-27). Berlin/Paris 1970ff.

Texte in der dem Publikum zeitgenössisch dargebotenen Weise, auch gesonderte französische Teile; kompletter Briefwechsel.

Quellen und Dokumente

Galley, Eberhard / Estermann, Alfred (Hg.): *Heinrich Heines Werk im Urteil seiner Zeitgenossen*. (Bände 1-6: 1821-1841) Hamburg 1981-1992. Fortgeführt von Christoph auf der Horst und Sikander Singh (Bände 7-12: 1841-1856). Stuttgart/Weimar 2002ff. (dazu ein den ganzen Zeitraum interpretierender Abschlussband von S. Singh).

Umfangreiches Material zur zeitgenössischen Einschätzung der heineschen Person und seines Werks; für jede Form der zeitgenössischen Einschätzung des Dichters unverzichtbar.

Hörling, Hans (Hg.): *Die französische Heine-Kritik. Rezensionen und Notizen zu Heines Werken (1830-1856).* 3 Bde. Stuttgart/Weimar 1996-2002. (Kommentarband folgt)
Schöner und facettenreicher Beleg für die zeitgenössische Präsenz Heines in Frankreich.
Werner, Michael (Hg.): *Begegnungen mit Heine. Berichte der Zeitgenossen.* In Fortführung von H. H. Houbens *Gespräche mit Heine.* 2 Bde. Hamburg 1973.
Texte von Zeitgenossen, die Heines Leben und Werk begleiteten, aus Memoiren und Briefwechseln, Tagebüchern und biographischen Darstellungen; durch die verschiedensten Perspektiven äußerst aufschlussreich und für eine erweiterte Betrachtung der Heine-Zeit unerlässlich.

Bibliographien, Jahrbuch, Chroniken

Heine-Bibliographie. Bisher 5 Bde. Betreut von Gottfried Wilhelm und Eberhard Galley (1817-1953), 2 Bde., Weimar 1960; Siegfried Seifert (1954-1964), Berlin/Weimar 1968; S. Seifert und Albina A. Volgina (1965-1982), Berlin/Weimar 1986; Erdmann von Wilamowitz-Moellendorff und Günther Mühlpfordt (1983-1995), Stuttgart/Weimar 1998.
Die Heine-Literatur – Ausgaben von Primärwerken in verschiedenen Medien, Übersetzungen sowie die Sekundärliteratur – ist in den vergangenen Jahrzehnten geradezu explodiert und ohne diese Bibliographien und die regelmäßige Verzeichnung im *Heine-Jahrbuch* kaum noch zu überblicken bzw. zu verfolgen.
Heine-Jahrbuch. Hg. vom Heine-Archiv bzw. (seit 1973) vom Heinrich-Heine-Institut. Düsseldorf/Hamburg 1962-1994 (Jg. 1-33) und Stuttgart/Weimar 1995 ff. (Jg. 34 ff.).
Unerlässliches Periodikum mit Beiträgen und Dokumentationen zur Heine-Forschung wie zur Wirkungsgeschichte des Autors, fortlaufende Bibliographie zur Literatur von und über Heine.
Mende, Fritz: *Heinrich Heine. Chronik seines Lebens und Werkes.* Berlin 1970 (2. Aufl. 1981).
Nützlicher Versuch, den gesamten Lebenslauf Heines durch chronologische Einträge aus Werken, Briefwechseln, Quellen und Dokumenten nachzuzeichnen.
Höhn, Gerhard: *Heine-Handbuch. Zeit – Person – Werk.* Stuttgart/Weimar [3]2004 (1. Aufl. 1987, 2. erw. Aufl. 1997; die 3. Aufl. wurde um eine kommentierte Bibliographie ergänzt).

Verlässliches Standardwerk zum Verständnis der Werke mit allen Verflechtungen; übersichtlicher Leitfaden durch den Dschungel der Heine-Literatur.

Metzner, Günter: *Heine in der Musik. Bibliographie der Heine-Vertonungen*. 12 Bde. Tutzing 1989-1994.

Die Bibliographie zeigt die überwältigende Fülle der Vertonungen als Modell einer speziellen Rezeptionsform.

Schubert, Dietrich: *»Jetzt wohin?« Heinrich Heine in seinen verhinderten und errichteten Denkmälern*. Köln u. a. 1999.

Darstellung der stets kontroversen Denkmalsgeschichte bis zum Ende des 20. Jahrhunderts.

Biographien und Einführungen

Hädecke, Wolfgang: *Heinrich Heine. Eine Biographie*. München 1985.

Lesbare, gut informierende Darstellung.

Hauschild, Jan-Christoph / Werner, Michael: *»Der Zweck des Lebens ist das Leben selbst«. Heinrich Heine. Eine Biographie*. Köln 1997.

Durch deutsche und französische Aspekte der biographischen Forschung dem heineschen Leben und Werk gerecht werdend.

Kortländer, Bernd: *Heinrich Heine*. Stuttgart 2003.

Informative, verlässliche Übersicht und Einführung.

Kruse, Joseph A.: *Heinrich Heine. Leben und Werk in Daten und Bildern*. Frankfurt a. M. 1983.

Informiert durch einen einführenden Essay sowie eine abwechslungsreiche Bilderfolge mit ausgewählten Quellentexten über Vorder- und Hintergründe.

Sammons, Jeffrey L.: *Heinrich Heine*. Stuttgart 1991.

Übersichtliche und kenntnisreiche Einführung durch den amerikanischen Heine-Spezialisten.

Schnell, Ralf: *Heinrich Heine zur Einführung*. Hamburg 1996.

Nützliche und verständliche Übersicht.

Windfuhr, Manfred: *Heinrich Heine. Revolution und Reflexion*. Stuttgart [2]1976.

Monographisch schnörkellose Übersicht über das Werk des Dichters durch den Herausgeber der Düsseldorfer Heine-Ausgabe.

Ziegler, Edda: *Heinrich Heine. Leben – Werk – Wirkung*. Zürich 1993.

In Text und Bild anschaulich und einfühlsam.

Weitere Literatur

Bartscherer, Christoph: *Heinrich Heines religiöse Revolte*. Freiburg/ Basel/Wien 2005 (Forschungen zur europäischen Geistesgeschichte, Bd. 6).
Umfassende Darstellung von Heines religiöser Lebenswelt.
Briegleb, Klaus: *Bei den Wassern Babels. Heinrich Heine, jüdischer Schriftsteller der Moderne*. München 1997.
Interpretationen zu Person und Werk Heines im Horizont einer deutsch-jüdischen Literatur.
Briegleb, Klaus: *Opfer Heine. Versuche über Schriftzüge der Revolution*. Frankfurt a. M. 1986.
Nachdrückliche Überlegungen zur Tiefenstruktur der heineschen Schreibweise.
Esterházy, Péter: *Harmonia Cælestis*. Berlin 2001.
Futterknecht, Franz: *Heinrich Heine. Ein Versuch*. Tübingen 1985.
Oft gegen den Strich lesende Deutung von Heines Jugend.
Kruse, Joseph A.: *Denk ich an Heine. Biographisch-literarische Facetten*. Düsseldorf 1986.
Beiträge zu biographischen und textlichen Problemen.
Kruse, Joseph A.: *Heines Hamburger Zeit*. Hamburg 1972 (Heine-Studien).
Aufarbeitung biographischer Fakten vor regionalem Hintergrund.
Kruse, Joseph A.: *Heine-Zeit*. Stuttgart/Weimar 1997.
Beiträge von der Familienforschung bis zur Werkdeutung.
Kruse, Joseph A. (Hg.; Mitw.: Ulrike Reuter u. Martin Hollender): *»Ich Narr des Glücks«. Heinrich Heine 1797-1856. Bilder einer Ausstellung*. Stuttgart/Weimar 1997.
Opulenter Begleitband zur Ausstellung im 200. Geburtsjahr Heines mit textlichen Miniaturen und zahlreichen Abbildungen.
Kruse, Joseph A./Witte, Bernd/Füllner, Karin (Hg.): *Aufklärung und Skepsis. Internationaler Heine-Kongreß 1997 zum 200 Geburtstag*. Stuttgart/Weimar 1999.
Umfangreiche Dokumentation mit zahlreichen Fragestellungen und unterschiedlichsten Stimmen.
Kuschel, Karl-Josef: *Gottes grausamer Spaß. Heinrich Heines Leben mit der Katastrophe*. Düsseldorf 2002.
Groß angelegter theologisch-literaturwissenschaftlicher Deutungsversuch von Heines später religiöser Sicht.
Mann, Thomas: *Gesammelte Werke in dreizehn Bänden*. Bd. 13: Nachträge. Frankfurt a. M. 1974.

Montanus, Henner: *Der kranke Heine.* Stuttgart/Weimar 1995 (Heine-Studien).
Materialreiche Darstellung von Heines Krankheitsgeschichte von den Anfängen bis zu seinem Tod.
Nietzsche, Friedrich: *Werke. Klassiker-Ausgabe.* 8 Bde. und ein Nachlassbd. Bd. 8. Leipzig 1922 f.
Schiffter, Roland: *Das Leiden des Heinrich Heine.* In: Fortschritte der Neurologie. Psychiatrie. 73. Jg. 2005. S. 30-43.
Gewissermaßen Abschluss der medizinischen Debatte, die vorher außer von Montanus u. a. von Heinrich Tölle (*Heine-Jahrbuch* 1998) sowie Christoph auf der Horst und Alfons Labisch (ebendort 1996 und 1999) geführt wurde.
Schönfeldt, Otto (Hg.): *Und alle lieben Heinrich Heine …* Bürgerinitiative Heinrich-Heine-Universität Düsseldorf 1968-1972. Köln 1972.
Schwarzer, Alice/Maia, Barbara: *Liebe Alice! Liebe Barbara! Briefe an die beste Freundin.* Köln 2005.
Werner, Michael: *Genius und Geldsack. Zum Problem des Schriftstellerberufs bei Heinrich Heine.* Hamburg 1978 (Heine-Studien).
Zum interessanten materiellen Hintergrund von Heines Leben und Schaffen.
Windfuhr, Manfred: *Rätsel Heine. Autorprofil – Werk – Wirkung.* Heidelberg 1997.
Gesammelte Forschungsergebnisse aus fast drei Jahrzehnten.
Ziegler, Edda: *Die große Frauenfrage. Zu Heines Mädchen und* Frauen. In: Studi Italo-Tedeschi. Deutsch-Italienische Studien XVIII. Meran 1997. S. 170-182.
Beitrag zum Meraner Heine-Kolloquium 1997, der anschließend auch in Alice Schwarzers *Emma* Aufnahme fand.

Internetadressen

www.heinrich-heine-gesellschaft.de
Heinrich-Heine-Gesellschaft, Düsseldorf
www.duesseldorf.de/heineinstitut/
Heinrich-Heine-Institut, Düsseldorf
www.hhp.uni-trier.de
Heinrich-Heine-Portal, das vom Heinrich-Heine-Institut der Landeshauptstadt Düsseldorf und vom Kompetenzzentrum für elektronische Erschließungs- und Publikationsverfahren in den Geisteswissenschaften der Universität Trier erstellt wird.

Personenregister

Werkregister

Die mit einem (G) versehenen Titel bezeichnen einzelne Gedichte.

Bildnachweis

Bronzeplakette aus der Werkstatt von Pierre-Jean David d'Angers, Paris 1834: S. 7
Camera Press/Picture Press, Hamburg: 136
Landesbibliothek Detmold: 33
Stadtmuseum Düsseldorf: 11
Alle übrigen Abbildungen stammen aus den Beständen des Heinrich-Heine-Instituts, Düsseldorf.
(Umschlagabbildung: Moritz Daniel Oppenheim. Heinrich Heine (Ausschnitt), 1831. Foto: akg-images)